検索から生成へ

生成AIによるパラダイムシフトの行方

清水亮
Ryo Shimizu

books.MdN.co.jp
MdN
エムディエヌコーポレーション

序　～まえがきにかえて～

並木道を歩いて、煉瓦造りの建物の入り口を探す。

キャンパスの銀杏並木は青々としていて、行き交う学生たちの笑い声を背に、その建物に入ると、なかには端末がずらりと並んでいた。

画面は真空管でできており、画面に映るものは不自然なほど白かった。

「知ってるか、これでインターネットってやつに繋がるんだぜ」

クラスメートの一人が僕に振り向きもせず端末を操作しながらそう言った。

「インターネットか。それでなにができるんだ？」

「メールしたり、こうやっていろんな情報を見たりできるんだ」

彼が示したのは、一つのＷｅｂページだった。

長い長い１枚のページに、いくつかの大学名が書かれていて、そこに混じって「ＮＴＴ」のような企業や、「ホワイトハウス」など外国の政府機関の注釈がついていた。

「これが一種の電話帳みたいなページなんだって。NTTの社員が作ったページで、インターネットの主要なページへのリンク集になってるんだ」

「へえ」

僕は〝NASA〟と書かれたリンクをクリックした。

すると、数秒して、「nasa.gov」というWebページが表示された。

「いま、僕は地球の反対側にあるNASAのコンピュータに指令を出しているのか！」

「そういうことになるね」

感動した。そんなことができるなんて。

しばらくして、ゆっくり、ゆっくりと、画像が出てきた。宇宙から見た地球の写真のようだった。白黒で表示される。わかりにくい。

「これ、カラーにならないの？」

「うーん、Macを使えばカラーで見られるんだけど、この計算機センターには2台しかないから取り合いなんだ」

そういう時代だった。

「おい、君たち」

声をかけられて振り向くと、もう一人のクラスメートが立っていた。

「最近先輩に聞いたんだけど、すごく便利なページがあるらしいよ」

「どう便利なの？」

「好きなキーワードを打ち込めば、それに関連したページをサーチして教えてくれるんだ」

「それはすごい」

「ちなみにサーチは、日本語で〝検索〟って言うんだぜ」


これが私と検索との出合いでした。

１９９４年。大学に入ったばかりの春のことです。

インターネットの歴史は古いものの、多くは大学や国家の研究機関などを繋ぐものでした。しかし、このころからようやくインターネットが民間に「解放」されたのです。

２０００年になると、インターネットがあることが当たり前になりました。iPhoneが発売されてからは、インターネットのない生活など想像するのが難しくなりました。そして２０２３年の現在、我々はインターネット検索をほとんど不可分のものと考えています。

しかし、その始まりはほとんどまったく無関係なものと言ってよいのです。

「インターネットで検索」する時代は、わずか過去30年間続いた一つの時代に過ぎないと見ることもできます。

インターネット、とくにWWW（ワールド・ワイド・ウェブ）を人々が使うようになった初めの数年間は、検索はまったく異質なものでした。しかしその利便性には抗い難く、いつしか検索とインターネットは一体のものになっていきます。

2003年ごろになると、「Web2・0」という言葉が生まれます。我々はそのあとも、ずっと「Web2・0」の世界を生きています。Web2・0では検索、そしてそれを実現するための大規模なデータはもっとも尊いものとされました。データを集め、検索可能にしたものがWeb2・0時代の覇者となります。

そうして実際に覇者になったのは、まさに検索エンジンを専門に作る企業のGoogle（グーグル）でした。

そしていま、Googleがその存在理由（レゾンデートル）を脅かされようとしているのです。

それが「生成AI」と言われる一連のムーブメントです。

なぜ、生成ＡＩが検索企業であるGoogleを脅かすと言われているのか。

それは「検索」が、人間の知的作業のごく一部分に過ぎないからです。

人が検索するとき、その先には必ずなんらかの結果（アウトカム）を必要としています。もしも最初から結果までコンピュータが提示してくれるとしたら、誰も検索なんて非効率的なことは行わないでしょう。

いま、世のなかで毎日のように生成ＡＩのニュースが流れているのは、こうした性質と決して無関係ではありません。

とくに２０２３年は生成ＡＩに関するニュースが毎日のように報じられていて、技術のトレンドも最新の状況も猫の目のようにくるくると変わっています。

この状況に「ついていけない」と辟易している読者諸氏も少なくないことでしょう。

しかし、じっくり腰を据えて見渡してみれば、いま起きていること、そしてこれから起きることは、「検索」から「生成」という大きなパラダイムシフトであると捉えることができるのです。


生成ＡＩはブームではありません。

新しい時代の幕開けなのです。

30年前、「検索」がそうであったように。


本書では「検索から生成へ」といたるパラダイムシフトはなぜ、どのようにして起きたのかを歴史的背景から紐解き、これから起きることはなにかを考えていきます。

そして「生成の時代」を人はどう生きるべきか。

いま、あえてその問いに答えることを試みていきましょう。

2023年7月吉日

清水 亮

生成ＡＩによるパラダイムシフトの行方 検索から生成へ もくじ

第1章

生成AIとはなにか？

第3章

民主化された生成AIが世界を変える

第4章

生成ＡＩでビジネスはどう変わるのか

第5章

生成ＡＩの可能性

STAFF

装丁……鈴木大輔・仲條世菜（ソウルデザイン）
DTP……株式会社三協美術
校正……株式会社鷗来堂
編集長……山口康夫
担当編集…加藤有香

Generative AI

プロローグ

検索の時代

1 検索以前の時代とインターネットの誕生

生成ＡＩに始まった今回のブームは、第４次ＡＩブームとも言われています。これまで、ＡＩ（人工知能）は１９５０年代の第１次、１９８０年代の第２次、２０１０年代の第３次ブームがあったと言われ、最初の２回のブームは大きな期待とともに盛り上がり、そしてある瞬間から限界が露呈し、失望が広がって消えていきました。ところが第３次ＡＩブームの火は消えないまま、２０２０年代の第４次ＡＩブームと呼ばれる一連の流れに繋がっています。

第３次ＡＩブームのきっかけは、ＡＩの本命である人工ニューラルネットワークが実用化されたことに端を発していました。それまでの間は、人工ニューラルネットワークの性能があまりにも低いので、しかたなくほかの方法でなんとか知能を再現しようと苦労していたのが、ついに知能の中身を考えることなく、データを学習させることができるようになったことで、過去２回のブームのときに試みられ、あまり成果を上げることができなかったアイデアが復活し、大きな成果を次々と上げたのです。これを指して「本物のＡＩがついに実現した」と言った人もいます。

第３次ＡＩブームの中心にあったのは、人工ニューラルネットワークのディープラーニング（深層学習）でした。第２次ＡＩブームまでの段階では、ニューラルネットワークの層を深くすることがなかなかできなかったのですが、長年の研究が実を結び、ついに深い層での学習が可能になりました。

第４次ＡＩブームと呼ばれているものの中心にあるのは、やはりディープラーニングです。ただし、第３次までのディープラーニングが扱う問題が分類や認識といった比較的単機能的なものだったのに対し、第４次ＡＩブームの中心にあるのは画像や文章、会話といった、大規模なデータを出力する生成ＡＩです。簡単に比較すると、第３次ＡＩブームまでのＡＩが扱っていた情報量と比べると、４次ＡＩブームで扱う情報量は数千万から数億倍に膨れ上がりました。

これは本来、そう簡単に処理できない情報量なのですが、第４次ＡＩブームの過熱と同時に情報量を圧縮する技術の研究が進み、現在では秋葉原で買って一般の家庭に置けるような規模のコンピュータでも生成ＡＩの学習や活用ができるようになってきたことでますます注目を浴びています。

第２次ＡＩブームが終わったとき、たくさんの研究者たちがちりぢりになりました。うまくいかなかった理由の大部分は、当時の非力すぎるコンピュータにあったと考えられています。

人工知能研究者たちは、人工ニューラルネットワークとは違う方法で、知能を扱う方法を模索し始めます。

そんなときに登場したのが、インターネットとＷＷＷでした。インターネット上の情報を素早く見つけ出す検索エンジンの開発も、「知識を自由に扱いたい」という思いの結実なのです。

実は検索エンジンが登場する前は、インターネットは主に研究機関と大学を繋ぐツールでした。初期段階ではアクセスが制限されており、限られた研究者や学者のグループだけがそのリソースを利用することができました。それは主に、アメリカ国防総省が資金提供したプロジェクトであるARPANET（アーパネット）に基づいており、最終的に現代のインターネットになるものの基礎を築きました。

１９９０年代初頭、イギリスのコンピューター科学者であるティム・バーナーズ＝リーによってＷＷＷが導入されます。

ＷＷＷが初期のころ、ユーザーはＵＲＬを知らなければいかなるサイトにもアクセスすることができませんでした。それ以前のインターネットは、一般の人にはほとんど使われていませんが、このころはまだ「Gopher（ゴーファー）」や「ニュースグループ」という主に文字情報だけの情報交換サイトがあった程度で、ＷＷＷも最初期は、実は文字しか扱うことができませんでした。

ＷＷＷが開発された動機は、主に論文の参照をしやすくするためと言われています。ある論文から別の論文へのリンクを簡単に辿れるようにすることで、知識をまるで蜘蛛の巣（ｗｅｂ）のように捉えて、論文から論文へ飛び回る様子をイメージしたものです。

そして、この仕様はオープンだったので、誰でも改良を加えることができました。ＮＣＳＡ（イリノイ大学の国立スーパーコンピュータ応用研究所）に在籍していたマーク・アンドリーセンは、バーナーズ＝リーのＷＷＷを改良して画像を表示できるようにしました。

まるでモザイク模様のようにＷＷＷの画面がカラフルになり、やがて爆発的に普及し始めます。アンドリーセンはこのソフトを「NCSA Mosaic」と名付けます。

実はMosaic以前にも画像を扱えるＷｅｂブラウザはあったのですが、結果としてMosaicが最初に世界的な成功を収めたＷｅｂブラウザと言われています。

しかし、ＮＣＳＡはMosaicのライセンスをアンドリーセンらに与えようとしませんでした。結果、アンドリーセンとMosaicの開発チームは大学を去り、ネットスケープコミュニケーションズを設立。Mosaicを打倒するため、「モザイク＋ゴジラ」で「Mozilla（モジラ）」というコードネームがつけられます。現在、Mozillaは財団法人となり、Firefox（ファイアフォックス）などのオープンソースで無料のＷｅｂブラウザの開発などを続けています。

2

人力によるディレクトリ検索

インターネットが急速に成長し始めると、関連する情報を見つけることがユーザーにとってますます困難になってきました。

そこでいろいろな人たちが「インターネットのリンク集」とでも言うべきページを作ります。日本でもＮＴＴをはじめさまざまな会社が「インターネットのリンク集」を作っていました。このころの「リンク集」は、ズラーッと各Ｗｅｂサイトへのリンクと簡単な説明文が並べられているひじょうに簡易なもので、サイトが増えれば増えるほど縦にどんどん伸びていきました。

当時のインターネットはひじょうに遅かったので、縦に長くなればなるほど読み込みに時間がかかり、「不便だなあ」という印象を持ったものです。

私はちょうど１９９４年の４月に大学に入学していますから、まさにこの時代でした。

この年の1月、スタンフォード大学の学生だったジェリーとデイビッドも「インターネットのリンク集」を作っていた人々の仲間でした。彼らは「Jerry and David's guide to the World Wide Web（ジェリーとデイビッドのＷＷＷガイド）」というＷｅｂサイトを作り、人気を博していました。

このサイトが画期的だったのは、いろいろなＷｅｂサイトへのリンクが、ジャンルごとにまとまったページになっていて、しかも、ジャンルのページに行くと、さらに細かいサブジャンルに分かれていたため、ひじょうにＷｅｂサイトが見つけやすいところでした。

3月に「Yahoo!」という名前に改名されたこのサイトは、瞬く間に世界でもっとも有名なＷｅｂサイトになりました。私が大学のコンピュータセンターで聞いたのは、まさにこのYahoo!（ヤフー）の噂でした。

Yahoo!のディレクトリはみるみる膨れ上がり、おそらく当時としてはインターネットでもっとも巨大なサイトと言ってよいくらいのページ数があったのではないかと思います。これらのページを管理しているのは、すべてネットサーファーと呼ばれるYahoo!社の正社員でした。


こんな思い出があります。私がドワンゴという会社にいた1998年当時、同社はインターネット企業であるにもかかわらず、Yahoo!のディレクトリに掲載されていませんでした。

このころのYahoo!は、まずＷｅｂサイトを作ったら「申請フォーム」に記入をし、「こんなＷｅｂサイトを作りました。どうか掲載してください」とお願いする必要がありました。

それを人間のネットサーファーが確認して、そのサイトが詐欺まがいのものではないか、ちゃんと構築できているか、といったことを確認して初めてディレクトリに掲載されます。

このディレクトリへの掲載基準も結構いい加減で、私の個人サイトはとっくに載っていたのですが会社のサイトがなかなか掲載されないなど、不公平に思えることがよくありました。

Yahoo!に広告を出せば掲載が早まるかもしれない、という噂が流れていて広告を出そうとしても、広告の申し込みも殺到していてどうにもなりませんでした。

それくらい、当時は「Yahoo!のディレクトリに掲載される」ということは大切なことだったのです。掲載されるまでの繋ぎとして、なんとか自社のＷｅｂサイトに来てもらわなければならないのでドメイン名をわかりやすくしたり、テレビで連呼したりといった涙ぐましい努力をしていました。

Yahoo!には４０００人以上のネットサーファーがいたそうですが、世界中で増え続けるＷｅｂサイトをたったそれだけでカバーできるはずもありません。

人力によるディレクトリ検索モデルは、労力と時間がかかりました。インターネットが指数関数的に拡大し続けるにつれて、人間の編集者が成長のペースについていくことがますます困難になってきました。さらに、このアプローチは、編集者の個人的な好みや意見が、Ｗｅｂサイトの選択や分類に影響を与えているため、人間の偏見の影響を受けやすいという問題もありました。

そしてその影響は、Yahoo!に掲載してもらえない企業だけでなく、一般ユーザーにも波及しました。

要は、ネットサーファーたちが忙しく、いつまで経っても自分の興味のあるジャンルのＷｅｂサイトが追加されないので、「新しいＷｅｂサイトをどうやって見つければいいいんだ」という課題が生まれてきたのです。

3

自動で探索するロボット型探索

人力によるディレクトリ検索の限界が明らかになるにつれて、ユーザーにはより効率的な方法を探す必要性が生じました。このときに登場したのが、スパイダー（またはロボット）と呼ばれるプログラムを利用して、Ｗｅｂコンテンツを自動的に探索、インデックス作成、およびカタログ化するロボット型検索エンジンです。

ロボットは、インターネットを体系的に閲覧し、あるＷｅｂページから別のＷｅｂページへのリンクを辿り、訪問したサイトのデータを収集する自動化されたプログラムです。このデータは膨大なインデックスに保存され、検索エンジンはこのインデックスを使用して、ユーザーのクエリ（問い合わせ）に応じて関連する結果を迅速かつ正確に表示できます。

「WebCrawler（ウェブクローラ）」、「Lycos（ライコス）」、「AltaVista（アルタビスタ）」などの初期のロボット型検索エンジンは、インターネット検索の未来を形作る上で重要な役割を果たしました。これらのエンジンは、手動でキュレート（選別）されたディレクトリに頼ることなく、より迅速かつ効率的にオンラインで情報を検索する方法をユーザーにもたらしました。

しかし、その利点にもかかわらず、初期のロボット型検索エンジンには独自の課題がありました。これらのエンジンは、もっとも関連性が高く有用な結果を優先するのに苦労することが多く、時間をおかずに検索結果がスパムだらけになってしまうこともしばしばあったほどでした。

興味深いことに、ここでもスタンフォード大学の学生が登場します。

4 「そんなに検索精度が高いと儲からない」

AltaVistaは、ロボット型検索エンジンのなかでも最大手と言われる人気のＷｅｂサイトでした。運営するのはコンピュータ界の巨人であるディジタル・イクイップメント社（DEC）です。

そこにスタンフォード大学の学生が2人やってきました。

彼らが売り込んだのは「BackRub（バックラブ）」という新しい検索エンジンです。BackRubの画期的なところは、Ｗｅｂページの価値を測定する方法を編み出し、検索結果に反映させていたことです。

たとえば学術論文は、引用が多ければ多いほど重要度の高い論文とみなされます。

それと同じように、たくさんのサイトからリンクされていればいるほど、重要度の高いページと言えるのではないか。そんな仮説に基づいて、BackRubには「ページランク」という考え方が取り入れられていました。

実際にその性能は圧倒的で、それまでは「ホワイトハウス」を検索しても、本物のホワイトハウスのＷｅｂサイトより前に、スパムのサイトが出てきていたのが、ズバリ、最初から本物のホワイトハウスのＷｅｂサイトが表示されるようになっていたのです。

また、検索してから検索結果が表示されるまでのスピードが1秒以下でした。

当時のAltaVistaは、人気のあるキーワードは何十秒も待たされるのが普通だったので、驚くべき速さと言えました。

ところが、AltaVista社は、この技術を検討した結果、「商売の役には立たない」と判断してその2人を追い返してしまいます。

失意の2人は、いろいろなベンチャーキャピタルを回ってもいい答えを引き出すことができません。

仕方がないのでスタンフォードの学生寮にサーバーを置いて、サーバーからハードウェアまで全部手作りし始めます。そして、昼間はスタンフォードの教員として働いて、細々とBackRubというサービスを続けていました。

ある日、BackRubの名前がよくないのではないか、という話になりました。もっとキャッチーで覚えやすい名前に変えよう、と。

「googolplexはどうだ?」

とどちらかの若者が言います。

「googolplex(グーゴルプレックス)」は1のあとに0をグーゴル個(10の100乗個)つけて得られる巨大な数の単位です。

もしもここに数を表示しようと思ったら、0が多すぎて何ページも埋まってしまうほど巨大な数の単位です。

「それは長すぎる」

もう一人の若者が言いました。

「Googleにしよう」

こうしてGoogleは誕生します。

しかし、名前が変わってもGoogleの苦境は変わりませんでした。

そんな2人に最大の転機が訪れます。Googleにとって、というよりも、人類にとって最大の転機と言っていいでしょう。

その前に、なぜAltaVistaはGoogleを手に入れる千載一遇のチャンスを逃してしまったのか、当時の状況を振り返ってみましょう。

5 KPIは顧客滞在時間

AltaVistaがBackRub（のちのGoogle）をいらない、と判断した理由は、当時のＷｅｂサイトのＫＰＩ（Key Performance Indicator：鍵となる指標）の設定にあります。

このころインターネットのサイトを運営する会社は、ユーザーから直接お金をとることが難しく、どうしても広告収入に頼らなければなりませんでした。

広告価格を決めるのは、ＰＶ（ページビュー）、つまりどのくらいのユーザーに見られたか、そして、顧客がどのくらいの時間、そのサイトに滞在したかです。

この悪しき慣習は現在もまだ色濃く残っています。たとえばニュースサイトなどでは、ＰＶと滞在時間を稼ぐために、わざと記事を短く分割して別ページにする場合があります。

その方が「ＰＶは稼げてしまう」からです。

AltaVistaでは、スパムだらけの検索結果のなかから、顧客が「意味のある情報」を必死で探そうとすればするほど滞在時間は延びるし、PVも稼げます。「このページに必要な情報がない」と判断すれば、ユーザーはどんどん「次のページ」へのリンクを押すしかないからです。

AltaVista社だけが奇妙な価値観を持っていたわけではありません。この当時のすべてのインターネット企業の判断基準はそんなものでした。

BackRubをもしもAltaVista社に導入すれば、ユーザーは飛躍的に便利になるものの、滞在時間もPVも大幅に減ることが予想されたのです。

Googleの成功の秘訣は、「Googleが大事だと考えていたこと」を、「そのとき誰も大事だと思っていなかったこと」です。

それが結果的にGoogleに大きなチャンスをもたらします。

そのチャンスをくれたのは、ほかならぬ世界最大のWebサイト、Yahoo!でした。

6 検索なんて外注しろ

先ほども述べたように、当時のYahoo!は4000人のネットサーファーを抱えていました。

Yahoo!もディレクトリが増えすぎたので、それを検索するシステムが社内にありました。ただ、Yahoo!の値打ちは、あくまでもジャンルごとに深い階層まで作り込まれたディレクトリにあると誰もが考えています。

しかし、Yahoo!の検索チームには、6人しかいませんでした。

そして、検索チームのリーダーは、日に日にネットサーファーだけでは手が足りなくなっていることに危機感を持っていました。「もう少し人員を増やして欲しい」と上層部に言うと、「スーパーボウルの広告にお金がかかるから、人員増は許可できない」と答えが返ってきます。

仕方がないので外注することになりました。

AltaVistaや「Inktomi（インクトミ）」といった外部のロボット型検索エンジンと連携

して、ロボット型検索エンジンと競うのではなく共存しようとしたのです。その末席に、Googleは滑り込むことができました。その検索精度の高さは一目瞭然で、しだいにほかのロボット型検索エンジンは使われなくなっていきます。

広告の問題は外部から解決されました。Overture（オーバーチュア）という会社が、「キーワード連動広告」を発明したのです。この会社はYahoo!に買収され、西暦2000年ごろからGoogleはYahoo!とともに「キーワード連動広告」によって収益を上げていきます。

さらに決定的なことが起きました。2004年、Yahoo!がGoogleを切り離したのです。遅ればせながら検索の重要性に気づいたYahoo!は、ロボット型検索エンジンを独自開発し、Googleとの提携を解消しました。

そのことがかえってGoogleの価値を上げました。

Yahoo!の新しいロボット型検索エンジンは性能が悪く、Googleのシンプルで高速かつ高精度な検索エンジンへの移行が一気に起こります。

7 検索の時代へ

検索はインターネットの主要な利用法となり、Googleはこの世の春を謳歌します。

２００７年にApple（アップル）がiPhoneを発売して以降はさらにその影響力がそれまで積極的にコンピュータを使ってこなかった人たちにまで広がり、世界中にスマートフォンのブームを巻き起こしました。

もはやインターネットと検索は切っても切れない関係になりました。

Googleを使わなかったとしても、Twitter（ツイッター）やInstagram（インスタグラム）など、ＳＮＳ検索をしているという人は多いはず。最近はお店の情報もGoogleではなくInstagramで検索するのが普通になっているそうです。世代ごとに「どのプラットフォームで検索するか」が違っているようです。

なぜ検索は便利だったのでしょうか？

人々が検索という行為に夢中になった理由があるはずです。

まず初期のYahoo!のようなディレクトリ型検索エンジンは、「インターネットにどんなサイトがあるのかわからない」ときに道しるべとして大いに役立ちました。

「こんな情報はあるのかな」という疑問に答えるためには、ジャンルごとにサイトへのリンクがまとまっているものが最適だったのです。

しかし、WWWの爆発的な普及に伴い、ディレクトリではインターネットのすべてのサイトを網羅することはできなくなっていってしまいました。

また、速報性のあるニュースのようなものはディレクトリ型検索エンジンに掲載されるまでに時間がかかると意味がなくなってしまいます。

そこで、毎日のようにニュースを配信し続ける「ポータル（入り口）サイト」という考えが生まれました。

とりあえず「ポータルサイト」に行けば、その日の最新のニュースをチェックしたり、天気予報を見たりできるということで大流行しました。

Yahoo!もある時点ではポータルサイト化を目指していました。

ところが、ポータルサイトのブームは突然終わります。ひじょうにシンプルに言えば、Microsoft（マイクロソフト）がWindows（ウィンドウズ）に標準搭載するＷｅｂブラウザに自社のポータルサイトを設定したため、わざわざユーザーがポータルサイトを設定する必要がなくなったのです。

これでポータルサイト戦争に終止符が打たれたかに見えましたが、今度はＷｅｂブラウザ戦争というものが起きます。Microsoftの「Internet Explorer（インターネットエクスプローラー）」以外に、Appleの「Safari（サファリ）」、Googleの「Google Chrome（クローム）」、Mozillaの「Mozilla Firefox」、そして「Opera（オペラ）」、などといったＷｅｂブラウザが乱立し、それぞれ機能や利便性を競っていました。

Ｗｅｂブラウザの競争では、「いかに手数を少なくして目的のページに辿り着かせるか」ということが競われたわけですが、ある時点からブラウザでいちいちGoogleのような検索エンジンを開いてから検索するのではなく、ＵＲＬを打ち込む場所にいきなり検索キーワードを打ち込むという仕組みに変わりました。

また、Internet Explorer以外のＷｅｂブラウザは、デフォルトの検索エンジンをGoogleにすると、ユーザーが利用した分だけGoogleからお金がもらえるという方式になったことでGoogle検索が事実上の標準となりました。

さて、ではGoogle以後の時代は、検索エンジンはなんのために使われていたのでしょうか。

検索が求められる最大の目的は、情報収集になりました。

たとえば、「新宿で一番美味しいカレー屋さん」といったキーワードでお店を探したり、「24時間対応してくれるお医者さん」といったキーワードで急な病気に備えたりするようになるのです。ほかにも、ビジネス文書を書くための調べ物といった用途に検索が使われるようになりました。こうして検索は定着していったのですが、みなさんはここまで読んで検索に足りないものがわかったでしょうか?

そう、検索というのは、ユーザーがやりたいことを実現するための手段のごく一部でしかないのです。

たとえば、「新宿で一番美味しいカレー屋さん」を検索したあと、「よし、このお店に行こう」と決めるまでにユーザーは何度も「そのお店でいいのか」を考える必要があります。

値段は高すぎないか、駅から遠すぎないか、混んでいないか、などなど、検索しただけではわからない情報をあれこれ考えなくてはなりません。

「24時間対応してくれるお医者さん」を発見しても、それが自分のかかりたい診療科の先生なのか、その治療が得意なのか、といったことをあれこれ考える必要があります。

ビジネス文書の作成にいたっては、そもそも「文書を書く」という行為を検索エンジンは一切代行してくれません。いくつかの情報を調べてから、それをまとめ上げて文章にするのは、自分でやらなければならないのです。

生成ＡＩが出現したのは、まさしくこのような目的を達成するためです。

つまり、「こういうことを調べてビジネス文書を書いてくれ」と生成ＡＩに言えば仕事が終わるのであれば、わざわざ自分であれこれ検索して情報を整理する必要はなくなります。

「新宿で一番美味しいカレー屋さん」を探すのではなく、「カレーが食べたい」と言えば家から近くて自分の好みに合ったカレー屋さんをいくつか探してきて提案してくれるのであれば、自分であれこれ悩んで店を決める必要はなくなります。

医者選びにしても、「お腹が痛い」と言えば、近くのすぐかかれる内科を紹介してくれたり、代わりに電話してくれたり、なんなら近所の薬局ですぐに買える胃薬なんかを紹介してくれればそれで済むわけです。

いまの生成ＡＩはそこまでしてくれませんが、そこまでできる未来はすぐ先です。ひょっとするとこの本が発売されるころにはそうなっているかもしれません。こうしたものを作ることは実はまったく難しいことではないので、あとはやる気の問題ということになります。

人間が検索するのはなんのためか、ということを分解すると、以下のような手順になります。

・欲望（なにかしたい）→検索キーワードを考える→検索する→ページを見て理解する→行動する

このうち、検索エンジンがやってくれるのは、まんなかの「検索する」というところだけです。しかし、生成ＡＩは、最初の「欲望」と「行動する」以外のすべてを代行してくれます。

生成が検索に取って代わるのはごく自然な流れと言えるのです。

こうして、今日のように「検索するのが当たり前」の世界が生まれたのです。

でも、その時代が到来したのはわずか20年ほど前です。

いままた、新たな風が起きようとしています。

そもそも検索はなぜ必要だったのでしょうか。

その問いに答えたのが、生成ＡＩです。

Generative AI

第1章

生成AI
とはなにか?

8

生成AIとはそもそもなにか？

生成AIとは、そもそもなんなのでしょうか。

きわめて簡単に言えば、「画像や文章、会話やプログラムや音楽や映像を生成するAI」のことです。生成AIが最初に話題になったのは2022年の夏ごろ、「Midjourney（ミッドジャーニー）」や「Stable Diffusion（ステーブルディフュージョン）」が登場したころです。さらに2022年末には会話を生成する「ChatGPT（チャットジーピーティー）」が登場し、多くの人の目に触れるようになりました。

・画像生成AI＝Midjourney、Stable Diffusionなど
・文章生成AI＝ChatGPT、BingAIチャットなど

生成AIに人々が驚いたポイントはいくつかあります。

たとえば、画像を生成するAIは、言葉で簡単な指示を与えるだけで、驚くほど精緻な

画像を作り出します。

ChatGPTも、わずかな指示を与えるだけで見事なプログラムを書いたり、辻褄の合った物語を生成したりすることができます。

それにしても、機械が画像なり文章なり、なにがしかの「意味ありげなもの」「創作物のように見えるもの」を「生成する」というのは不思議なことに思えます。

一体全体なぜ、そんなことができるのでしょうか。

本章ではその原理を紐解いてみようと思います。

9 コンピュータとAIは真逆の存在

まず大前提として知っておかなければならないのは、コンピュータとＡＩは直接なんの関係もないということです。

たとえば、三目並べを解く方法を学習する機械は、コンピュータのような複雑な機構を用いなくても、マッチ箱とビーズだけで再現できることがよく知られています。

現代のデジタルコンピュータの起源は、ジャカード織機《しょっき》という、機織《はた》り機です。

18世紀のイギリスでは、氏族を表す柄のタータンチェックの服を着るという決まりがあり、この複雑な模様を自動的に織るための機械が開発されました。

あるパターンを繰り返しながら、どの色の糸がどの順番でどの色の糸の上に来るのかを決めるための穴のあいたカードを繋げたもので表現していました。

これにヒントを得た発明家のチャールズ・バベッジとエイダ・ラブレスは、ジャカード織機の穴あきカードを応用した計算機の構想を練ります。

これが解析機関（アナリティカル・エンジン）と呼ばれる世界最初のコンピュータの設計の一つです。バベッジは解析機関の前に階差機関（ディファレンス・エンジン）も設計していましたが、資金難で開発が頓挫したため、解析機関を新たに設計します。

エイダは類稀なる数学の才能を持つ女性で、バベッジの示した解析機関の講義を聞いて、「解析機関は、手順を説明可能ならばどのような処理もできる自動機械である」と考えました。これは、そっくりそのまま、現代のコンピュータの原理に当てはまります。

逆に言えば、コンピュータの限界も同時に示されていました。

つまり、コンピュータという機械は、「手順を説明されなければなにもできない機械」でもあるわけです。

10 説明なしで学ぶ人工ニューラルネットワーク

これに対し、ＡＩ、とくに最近注目されているディープラーニングに用いられるＡＩは、人工ニューラルネットワークと呼ばれています。人工ニューラルネットワークの目的は、「手順を説明することなく、入力と欲しい出力だけを示せば、その過程を自動的に学習する機械」です。

コンピュータに必須であったはずの「手順の説明」を丸ごと省こうというのが人工ニューラルネットワークの根底にある考え方です。

「そんなことがはたして本当にできるのか」

そんな疑問を誰もが持ちました。

しかし、手順はわからないものの、人間はもちろん、小さなネズミやハチだって、胎児や幼虫から成長する過程で「なにかを学び」とっていることは疑いようのない事実です。

原理の説明は無理だけれども、こうした動物の持つ神経回路網（ニューラルネットワーク）の構造を人工的に再現することで、動物と同じように「説明なしで学ぶ」ことができないものか、それに取り組んできたのが人工ニューラルネットワークの研究の歴史です。

人工ニューラルネットワークは、前述したようにマッチ箱とビーズのような素朴なものでも作ることができます。しかし、それを使って学習したり推論したりする作業は膨大なものになります。

そして、人工ニューラルネットワークがいかに「説明不能なものの関係を学習できる」機械だとしても、それが機械である以上は、必ず「学習する手順」と「推論する手順」は説明可能でなければいけません。そして、説明可能なものであればどんなものでも扱えるのがコンピュータという自動機械ですから、人工ニューラルネットワークの研究にとっては、コンピュータというのは都合のいい道具なのです。

要するにいま、コンピュータの上で人工ニューラルネットワークが動いているのは、たまたま都合がいい道具があったから、というだけの理由です。今後もっといい道具が登場すればそちらに乗り換えるでしょう。実際、いまのコンピュータとは違う形態のハードウェアという意味で、さまざまな方式のＡＩ専用チップが研究開発されています。

さて、いまでは単にＡＩと言えば人工ニューラルネットワークを指すようになりました。巷で話題のＧＰＴもMidjourneyもStableDiffusionもすべて、人工ニューラルネットワークです。

11 人工ニューラルネットワークが可能にしたこと

人工ニューラルネットワークが急速に発展したことで、これまで到底不可能に思えたことが次々と実現しました。

初期の人工ニューラルネットワークは、たとえば単純な信号のパターンを学習できるか、という素朴な問題から始まり、しだいに、郵便ハガキに手書きで書かれた数字を読み取ったり、猫と犬の写真を見分けたり、人間個人を識別するといった、より高度で人間にも難しい問題を次々と解いていきました。

と言っても、この間に50年近い月日が流れています。

２０００年代に入ると、人工ニューラルネットワークの研究は飛躍的に加速し、ついに

２０１２年には実用的なレベルまでやってきます。それには以下のような要因がありました。

・大規模なデータセット：インターネットが発達したことで、膨大な量のデータ、とくにテキストと画像が利用可能になり、ＡＩモデルはこれらのデータセットからパターン、構造、およびコンテキストを学習できるようになった。

・高度な機械学習アルゴリズム：ディープラーニングや強化学習などの機械学習アルゴリズムの進化により、コンテンツを理解して生成できる複雑なモデルの開発が可能になった。

・計算能力：ゲームや映画で利用されていたＧＰＵ（Graphics Processing Unit：画像処理装置）が高性能化し、低価格になったことで、ＧＰＵを使ったスーパーコンピュータが誕生したこと。さらに最近は研究が進み、特殊なＡＩチップなどの計算リソースの成長により、大規模なＡＩモデルのトレーニングと展開が加速している。

・共同研究：オープンソースツール、共有データセット、研究論文により、世界中の研究者が学会の開催を待たずとも互いの研究を発展させることができ、その結果、生成ＡＩの分野が急速に進歩したこと。

ＡＩが発展するためには、まず先に人類の発展が必要だったのです。人類が情報技術を操り、膨大な情報をいったんは情報プラットフォーム、つまりインターネット上に保存し、公開し、交換するようになったことで、初めてＡＩが生まれるための下準備が整ったということです。

「なぜ生成できるのか？」

多くの人はこんなふうに疑問に思うかもしれません。

「ＡＩが発展したことは理解した。けれども、手書きの数字や犬や猫を認識したり、人の顔を見分けたりするのと、文章や映像を生成したりするのはまったく違うことではないだろうか。なぜそれが生成できるということになるのか」

実は、ＡＩにとっては、これらの処理はすべて同じ処理なのです。

AIの学習過程①

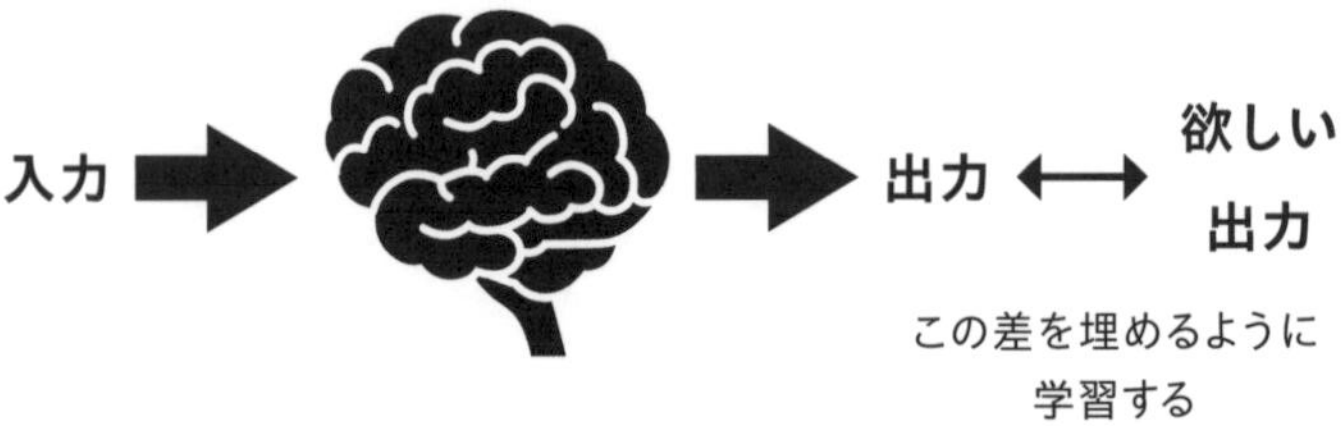

出典:著者資料より作図

簡単に図で説明しましょう。数式も出てきますが中学生が習う程度のものなので身構える必要はありません。

ＡＩの学習過程を説明したのが上の図です。

ＡＩをひじょうにざっくりと数式で表すと、ｙ＝f（ｘ）となります（これは高校の数学Ⅰで学びましたね？）。

ｘが入力、ｙが出力であり、f（ｘ）という関数が、ＡＩということになります。そして欲しい出力をＴとすると、Ｔとｙの差が小さくなるように学習するのがＡＩというわけです。

「学習」と言うとすごく大雑把に聞こえる

AIの学習過程②

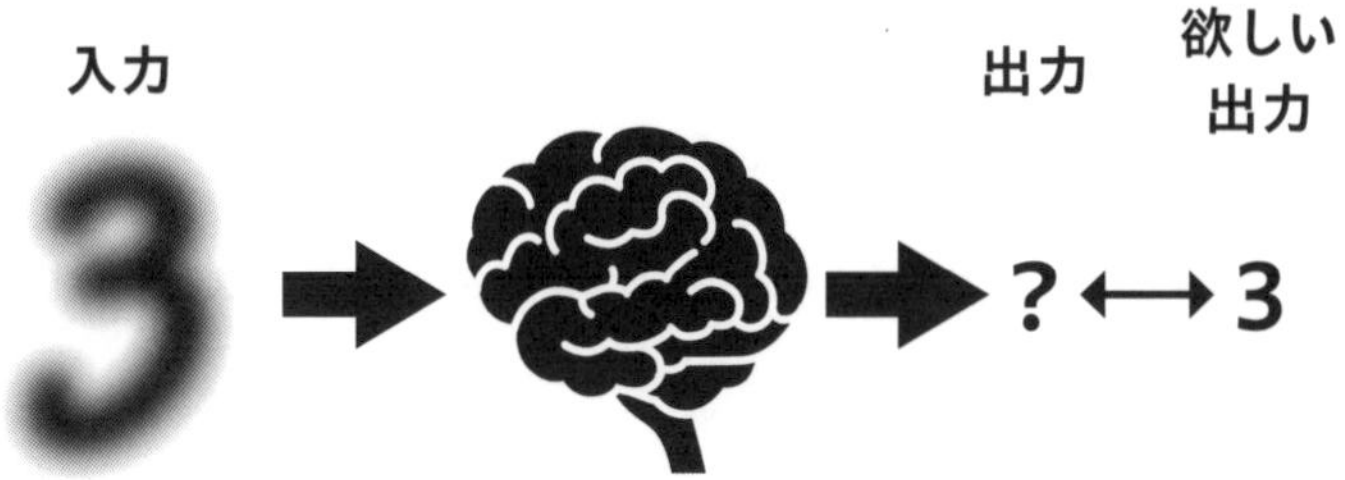

手書き数字を学習する場合

出典：著者資料より作図

と思いますが、実はfのなかの定数を微調整しているだけです。

たとえばＡＩが手書き数字を分類する場合、入力は手書き数字の画像で、欲しい出力はその画像がなんの数字であるかという答えです。

これだけあれば、あとはＡＩが勝手に学習してくれます。

猫か犬か見分けるのも同様です。

同じように、質問に答えるＡＩが欲しければ、質問と答えを学習させます。

言葉から画像が欲しければ、言葉を入力に与えて画像を欲しい出力として示すだけ

AIの学習過程③

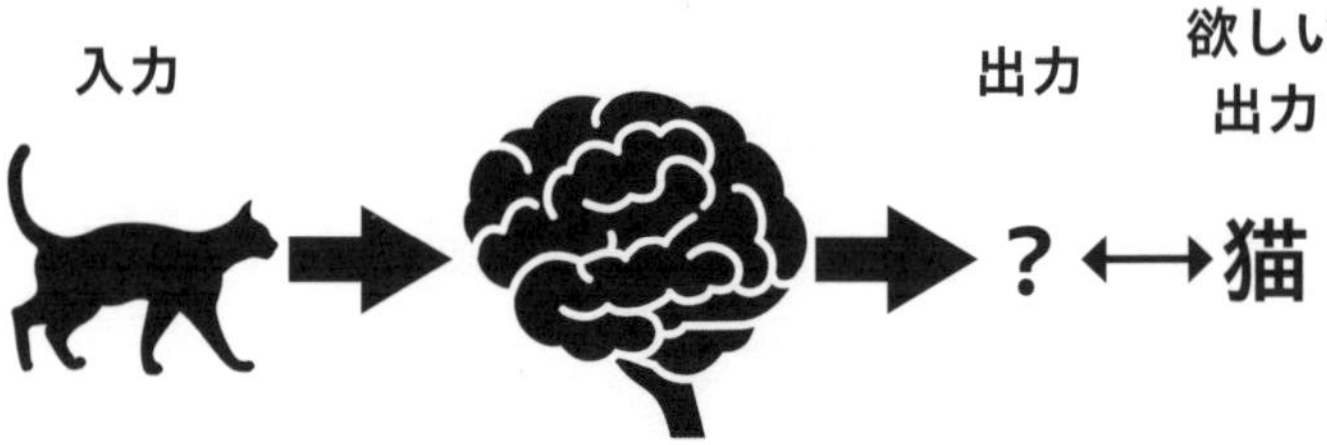

猫か犬かを学習する場合

出典：著者資料より作図

です。

出力のところが「?」なのが気になる人がいるでしょう。

そこにはなにが入るのか?

それは私にもわかりません。

と言うのも、この「?」の中身は、ＡＩが学習する過程によってまったく変わってくるからです。

まったく学習していないＡＩなら、「?」の中身はデタラメで意味のないものになりますし、学習がかなり進んだあとなら、「?」の中身は見事な正解になっているかもしれません。

学習というのは、ＡＩのなかにある定数を調整することを意味します。この調整に

AIの学習過程④

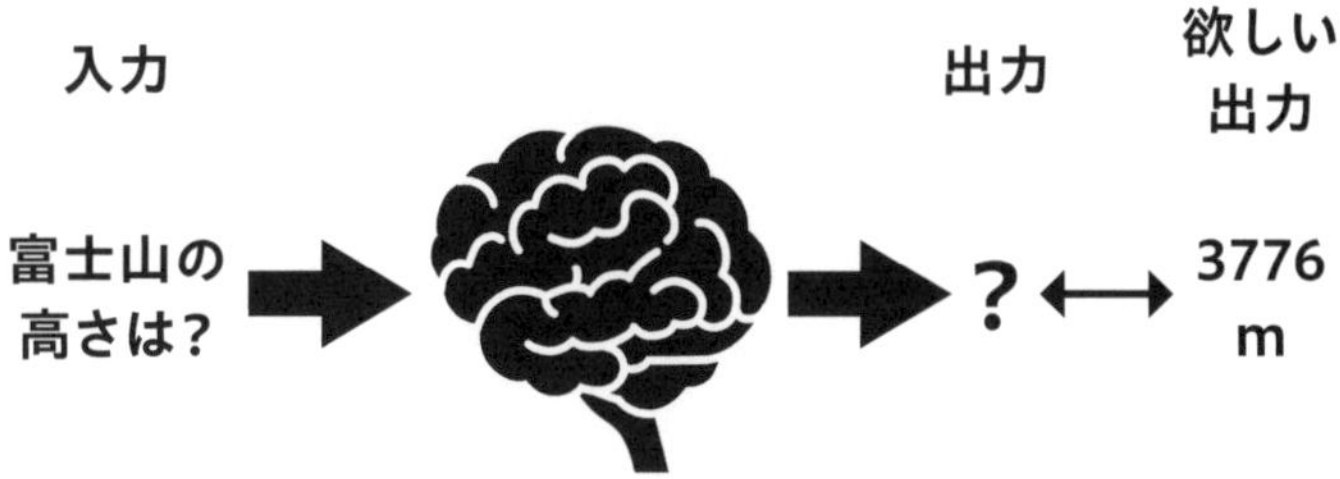

質問と答えを学習する場合

AIの学習過程⑤

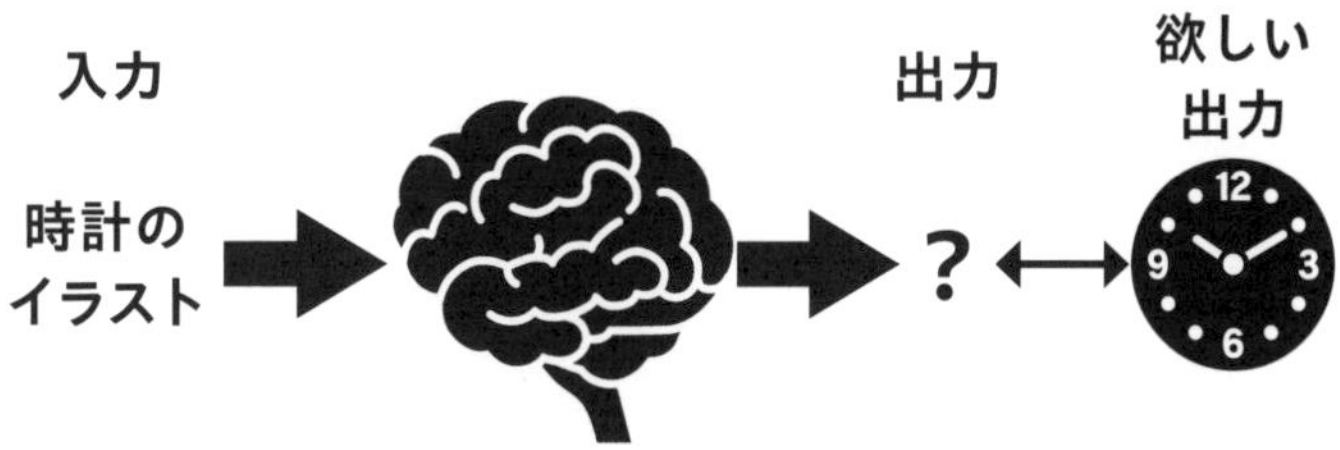

言葉から絵を生成する場合

出典：著者資料より作図

は膨大な計算が必要で、定数の数も、規模が大きいものでは数千億個といった膨大なものになります。

また、一度学習したＡＩに対して、新しいデータセットで微調整をかける学習を行うことができます。これをファインチューニングと言います。

さらに、大規模で高性能なモデルを教師ＡＩとして、小規模なモデルを生徒ＡＩとして学習させることを「蒸留（distillation）」と言います。

ＡＩは蒸留しても性能がほとんど落ちないことがよく知られています。

実は、扱おうとする問題に対して、ＡＩの規模（パラメータ数）が多すぎるかもしれない、という状態はよくあります。

「GPT-3」のような大規模言語モデルは学習データに対して規模が大きすぎないか確証がないまま１７５０億という超巨大なモデルを学習させました。そのために数百億円の機材と数億円の電気代、一日７０００万円とも言われる維持費が必要になりました。

しかし、GPT-3も蒸留すればもっと小さなモデルで同等以上の性能が出せる可能性を指摘され、実際にいくつもそうしたモデルが現れ始めています。

AIの学習過程⑥

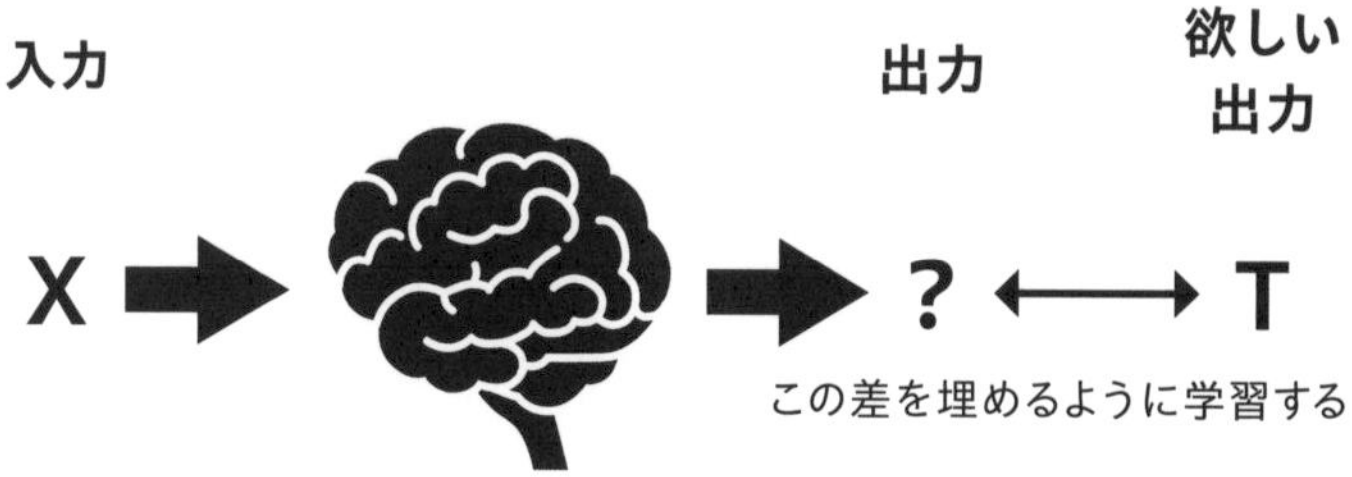

一度学習が終わったAIに対して、新しい情報を学ばせて微調整する
AIは最後に学んだ情報に引っ張られる

AIの学習過程⑦

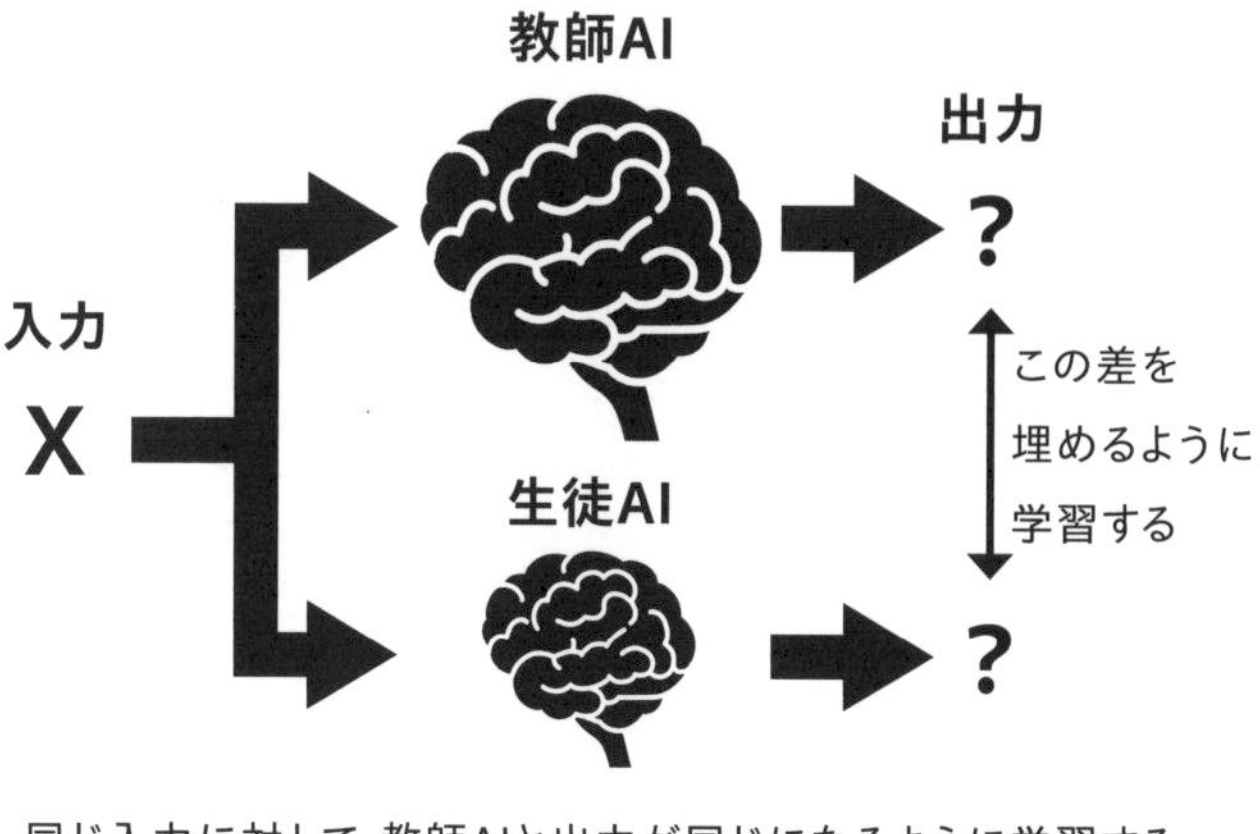

同じ入力に対して、教師AIと出力が同じになるように学習する

出典：著者資料より作図

12

巨大化することで性能を飛躍的に向上させた生成AI

分類するよりも生成する方が難易度が高かった主な理由は、それだけ多くの定数（パラメータ数）を必要とするからです。定数が多ければ多いほど、学習にも推論にも時間がかかります。

たとえば、手書きの数字を認識するために必要なパラメータ数は数千個ほどです。しかし、1000種類くらいの画像認識をするためのAIはもっとも素朴なものでも6000万パラメータほど必要です。

パラメータ一つにつき、最低1回以上の掛け算と足し算（この2つを合わせて積和演算と呼びます）が必要なため、6000万パラメータのAIを動かすためには、最低でも6000万回の積和演算が必要になります。パラメータ数が増えれば増えるほどより複雑な現象を学習できると言われていますが、パラメータ数が増えれば増えるほど学習に必要な計算時間は膨大になっていきます。そのためには大規模な計算機と膨大な電力が必要です。

現在、よく知られている生成ＡＩで言うと、ChatGPTの最初期に使われていたGPT-3のなかに含まれる定数（パラメータと呼ばれます）は１７５０億個もあります。ChatGPTで使われているGPT-3と、その進化系である「GPT3・5-Turbo」、「GPT-4」を開発するために、MicrosoftはChatGPTなどの開発元として知られるOpenAIに対し数百億円規模のコンピュータ設備を作るための投資をしたと主張しています。その全部が必ずしも必要というわけではないでしょうが、たいへんな熱の入れようであることは確かでしょう。

一方で、見事な画像を生成するStableDiffusionの定数は10億個近いと言われています。一見すると言葉を作るより画像を生成する方が難しそうですが、パラメータ数だけ見ると画像生成の方がはるかに少ないことに驚くかもしれません。これはＧＰＴとは学習方式が根本的に違うためです。

実は、文章の生成においても、最近ではMeta（メタ）の研究所であるＦＡＩＲ（「Facebook AI Research」の略だったがFacebook社の社名変更に伴い、現在は

Foundermental AI Research）が開発した「LLaMA（ラマ）」は130億パラメータでGPT-3よりも高性能と言われたり、その改良版である「Alpaca（アルパカ）」や「Vicuna（ビクーニャ）」、「Koala（コアラ）」、「Raven（レイブン）」、「MPT-7B（エムピーティーセブンビー）」といった派生系も、パラメータ数は70億から130億前後で十分な性能が得られると言われたりしています。また、商用利用可能な700億パラメータのLLaMA2も2023年7月に公開されました。

この分野はまだまだ発展途上ですから、いつか10億パラメータくらいの高性能な言語モデルが出てきても不思議ではありません。

13

生成AIの性能を決定づけるデータとバイアス

生成AIの性能はパラメータ数だけで決まるわけではありません。それ以上に生成AIが学習したデータの質と量が重要になります。64ページの表をご覧ください。

こうした大規模言語モデルの派生系は日々続々と登場しているので、書籍で扱う際には常に発売時から陳腐化していることを想定しなければなりませんが、どれもベンチマークで性能を競っているものの、「これが一番」という決め手には欠ける印象です。

それよりも重要なのは、それぞれのモデルが、性能的に上回っているかどうかよりも、「仕事に使えるか」ということの方で、実用面ではとくに重視されます。

すると、大学関係者以外にはたとえ無償でも学術用途に限定されたLLaMA、Alpaca、Vicunaなどのモデルは使い勝手が悪いということになります。

また、規模が大きすぎると、それを動作させる環境も高価になることを覚悟しなければなりません。

たとえば「RWKV（ルワクフ）」の１３０億パラメータモデルを動作させるためには数十万円のコンピュータが必要ですが、70億パラメータモデルはもっと小さいコンピュータ、場合によってはノートパソコンでも動作させることができるものもあります。

しかし、ファインチューニングのような追加学習を行う場合はより大きなコンピュータが必要になってしまいます。この辺りのバランスがまだ悪いというのが現状です。

生成AIが学習したデータの質と量

モデル	パラメータ数	ベースモデル	データセット	ライセンス
GPT-3	1750億	-	インターネット上の文章データ	商用
GPT-4	非公開	-	非公開だが、文章だけでなく動画、音楽なども学習していると説明	商用
LLaMA	650億	-	LLaMA	無償だが学術用途のみ
LLaMA2	700億	-	LLaMA	制約つきで商用利用可
Alpaca	130億	LLaMA	Alpaca Dataset	無償だが学術用途のみ
Vicuna	130億	LLaMA	ShareGPT	無償だが学術用途のみ
Koala	130億	LLaMA	さまざまなデータの組み合わせ	無償だが学術用途のみ
RWKV-v4neo	130億	Pile	オープン/フリー	
Raven	130億	RWKV-v4neo	Alpaca Dataset	無償だが学術用途のみ
StableLM	70億		Pile	オープン/フリー
MPT	70億		Pile	オープン/フリー

出典：著者資料より作図

14 大規模言語モデルの〝民主化〟

いま、大規模言語モデルに興味を持っている人は、当然、それをなんらかの形で自分の仕事に繋げたいと考えていると思います。

簡単なところで言えば、ChatGPTを使って本を書くのを手伝ってもらったり、企画案を出してもらったり、論文の要約をしてもらったりしたい、という単純な要求があるでしょう。

より高度なところで言えば、社内の文章を全部ＡＩに読ませて、会社中の知見を集積したり、あるアイデアに関係のありそうな社内文書を探してきたり、それらを要約したりといった高度な仕事に使いたいという要望も出てくるはずです。

とくに、医療系の現場や、金融機関、公共機関など、プライバシーに配慮する必要があったり、情報管理が厳しかったりするところでは、インターネットはもちろんのこと、一度機材を持ち込んだ場合、破壊しない限りは機材の持ち出し自体が禁止という場所もあります。

現場で生成ＡＩを活用しようとすると、どうしても閉じた環境で生成ＡＩを使いたくなるのですが、そういう場合に1億円の機材が必要となれば、ポンと出せる会社はそれほど多くありません。

この状況に風穴を開けるのが、「LoRA（ローラ）」という技術です。

LoRAは、Low-Rank Adaptation（低ランク適合）の頭文字をとったもので、元々は画像生成モデルのファインチューニング用に考えられました。

大規模言語モデルに比べて画像生成モデルは遥かにパラメータ数が少ないものの、やはりファインチューニングをするためには50万円程度の少し高価なコンピュータが必要でした。

そこでもっと手軽にファインチューニングをするために考えられたのがLoRAです。LoRAを使えば、人工ニューラルネットワーク全体ではなく、人工ニューラルネットワークの重要な部分だけを差分として学習できるようにすることで、全体を学習するより遥かに高速に、しかも学習後のデータもごくわずかな分量で行うことができるようになりました。

このテクニックをそのまま大規模言語モデルに応用すると、たとえば１３０億パラメータのRWKVの本体は30ＧＢありますが、そのLoRAデータはわずか50ＭＢほどでしかありません。それでもちゃんと微調整はされているので、十分実用的に使うことができます。

しかも、本体に対して好きなLoRAを組み合わせて使うこともできます。

たとえば、特定の分野に関する英語から日本語に翻訳するのが得意なLoRAを作り、次に、日本語を要約するのが得意なLoRAを作って組み合わせることや、物語作成が得意なLoRAとキャラクター作成が得意なLoRAを組み合わせて物語を生き生きと語るＡＩを作るなどといった応用が考えられるでしょう。

15 新時代に価値を持つもの

LoRAによって軽自動車１台分くらいの投資で自由に大規模言語モデルを学習できるようになりました。これは快挙と言ってよいでしょう。

それくらいなら中小企業や、ちょっと気合いの入った個人だって払うことができるかもしれません。さらに4ビットで量子化するQLoRAや事前学習からLoRAを使うReLoRAなどの技術も次々生まれています。

実はいま、世界は生成ＡＩに関して二つの大きな潮流の最中にあります。

一つの流れは、一神教とでも呼ぶべきもので、「世界に究極のＡＩが一つだけあればいい」という考え方の派閥です。これは、OpenAI（とそのうしろにいるMicrosoft）、Google、Meta、Amazon.comといった会社が推進している考え方になります。

そしてもう一つの流れは、大規模言語モデルは目的別、場合によってはユーザー別にカスタマイズされ、多様性を持つべきだという、いわば八百万《やおよろず》の神といった考え方の流れです。

〝一神教〟の教祖的存在であるChatGPTは実際、なんでもできそうに見えるし、実際になんでもできるのかもしれません。

しかし、それは結局、スイスのアーミーナイフ（十徳《じっとく》ナイフ）みたいなものではないかと私は考えています。

スイスのアーミーナイフは、コンパクトなボディにたくさんの機能がついています。はさみ、やすり、スプーン、フォーク、スクリュードライバー、そしてもちろんナイフ。最近ではＵＳＢメモリがついているものもあるようです。

実際、これさえあれば「なんでもできる」ように見えます。スイスのアーミーナイフを見ると私もワクワクします。

ところが、もしも自宅のキッチンで、これからカレーを作るというときに、アーミーナイフについている小さなナイフを使うでしょうか。たぶん、キッチンにある包丁を使うはずです。その方がずっと簡単かつ綺麗に食材を切れるでしょう。

そして、いざカレーを食べるというときにゴテゴテとしたパーツのついたアーミーナイフのスプーンを使うでしょうか。普通に家にあるスプーンを使うでしょう。スプーンとしての機能だけだったら、プラスチックの使い捨てスプーンでさえ、アーミーナイフのスプーンより上でしょう。

要は、「なんでもできそう」なものは実はなにもできないのと同じなのです。

もしもプロの料理人が、厨房でスイスのアーミーナイフを取り出したら、その店にの料理についてかなりの不安を感じるのが普通ではないでしょうか。

仕事の道具というのは、特定の仕事の用途に関して最適化されているべきだし、実際に最適なものであるべきです。

そのため、大規模言語モデルを仕事に使うときは、それをファインチューニングすることが間違いなく必須項目になると私は考えています。

そしてファインチューニングして使うのであれば、70億パラメータや130億パラメータといった「比較的小規模」なモデルでも十分な性能になる場合も少なくありません。

すると、結局はAIの能力は、方式とは関係なく、それを使う人がどのようなデータセットを持っているかによってのみ差別化されることになります。

「よい成果を出す組織」の条件が、「よいデータで訓練したよいAIを持っていること」になる日はそう遠くないでしょう。

AIで差別化するときにもっとも重要になるのは「どんなユニークなデータを持っているか」ということです。それがユニークで、かつ魅力的であればあるほど、そのAIは価値を持つことになります。

Generative AI

第2章

テクニウムがもたらす未来

〜知恵を合わせる能力〜

16

AIが急速に進歩した理由

それにしても、昨今AIの進歩がここまで目覚ましい理由はなんでしょうか？

前章で簡単に触れたように、それにはいくつか複合的な原因があります。

本書は、生成AIが登場したことで世のなかはどう変わっていくか、その展望を見極めることを目的とした本です。

未来を見通すには、過去から現在までの流れを踏まえる必要があります。

歴史は繰り返すというよりも、歴史は一つの大きな流れを作っているからです。私たちが生きる現在は、決して独立した点ではなく、未来から振り返ったときに歴史の流れのなかにあるのです。

AIの急速な進歩の理由、その最大のものは、人類の「知恵を合わせる力」が最大限に高まったことです。

この現象を読み解くために必要なキーワードは「テクニウム」です。

テクニウムとは、個々のテクノロジーを一つの生物と捉え、生物のように増殖し、生物のようにほかの生物と合成され、進化するものと解釈する考え方のことで、まったく別のところでまったく別の目的のために作られた技術があたかも生き物のように、出合い、交配し、新しいものに生まれ変わっていく性質を指します。

この言葉を最初に使ったのは『Wired（ワイアード）』誌の創刊編集長であるケヴィン・ケリーです。確かに、技術の進歩の歴史を振り返ると、まさに生物種の進化とピッタリ符合するかのような不思議な性質を持っています。

そしてテクニウムという考え方を意識すると、技術の進歩の歴史や未来を見通すのが少し簡単になります。

最初に、テクニウムの重要な性質を挙げておきます。

- **必要性が生まれる前に技術が先に生まれる**
- **普及した技術は、必ずほかの技術を取り込む**
- **技術は、普及すればするほど安く、小さく、軽く進歩する**
- **技術は、進歩することをやめることができない**

これらを踏まえ、本章ではＡＩが現在の形にいたるまで、テクニウムという観点から歴史を遡《さかのぼ》ってみましょう。

17

コンピュータ、半導体、電卓戦争とマイクロプロセッサの発明

前述したように、ＡＩとコンピュータは根本的に無関係なものです。そして実は、コンピュータと半導体も、元々は無関係なものでした。最初に設計されたコンピュータは蒸気機関で動く歯車式のもので、実用化されたときは電気信号を扱う真空管のお化けのようなものでした。１９４０年代のごく初期のコンピュータの写真を見ると、まるでいまのデータセンターのように巨大な空間を占有しています。

１９４０年代に開発されたアメリカで最初の汎用デジタルコンピュータ「ENIAC（エニアック）」は、巨大な部屋に収められた一つの大きな機械でした。いまのようなキーボードやディスプレイなどはついていません。この時点ではコンピュータはまだ半導体と出

初期のコンピュータ「ENIAC」

出典：Wikipedia「コンピュータ」、「US Army Photo」、M. Weik（https://ftp.arl.army.mil/ftp/historic-computers/）

合っていません。

１９４７年の終わり、20世紀でもっとも重要な半導体部品であるトランジスタが発明されます。しかし、当初はほとんど注目されていませんでした。なにに使えばいいのか誰にもわからなかったのです。初期のAIとかなり似ています。

発明から2年後に、トランジスタの性質は真空管のように使えることが発見され、そののち、テレビやラジオ、レコードプレイヤーなどに使われるようになりました。

一方、コンピュータ産業から見るとトランジスタはひじょうに魅力的な部品に見えました。ラジオやレコードのようなアナログ音源の再生では真空管のように歪みの少

トランジスタを使ったコンピュータ

出典：Wikipedia「IBM 1620」(https://ja.wikipedia.org/wiki/IBM_1620)

ない増幅作用が必要ですが、コンピュータはデジタル式なので真空管のその性質はあまり意味がなく、コンパクトで消費電力が少なく、発熱も少ないトランジスタでコンピュータを作れば、部屋一つぶん必要だったコンピュータが、机一つぶんくらいのサイズまで小さくできるのではないかと期待されました。

コンピュータ会社はこぞってトランジスタを使ったコンピュータの開発に挑戦しますが、最初に実用化したのはＩＢＭでした。

さらに10年が経った１９６４年、ＩＢＭが決定版とでもいうべきコンピュータを発表します。

３６０度どんなことでも対応できるという汎用性から、「System/360」と名付けられたこのコンピュータの開発に、ＩＢＭは5億ドルを投じました。当時の5億ドルは、同時期に人類を初めて月に着陸させようとアメリカ政府が威信をかけて投じたアポロ計画の予算を上回る空前の規模のものでした。

このSystem/360は、アポロ計画でも活用され、大活躍します。実際にアポロ宇宙船は１９６８年に月面へ人を送り込み、なおかつ無事帰還させることに成功したのです。

一方、そのころの日本では、早川電気工業（のちのシャープ）、キヤノンなどがトランジスタを使用した電卓の販売で激しく争っていました。大卒初任給が3万６００円くらいの時代でしたが、電卓は30万円（現在の価値で２００万円程度）くらいで、これを安くするために部品を劇的に減らす方法を各社が模索していました。

そんななか、電卓の輸出を手がけていた中小商社のビジコン社が、それまでバラバラの部品で作っていたトランジスタやその集積回路であるＩＣの機能を、わずか10個のチップ（部品）で汎用的に処理してしまおうと考えました。

1964年、IBMが発表した「System/360」

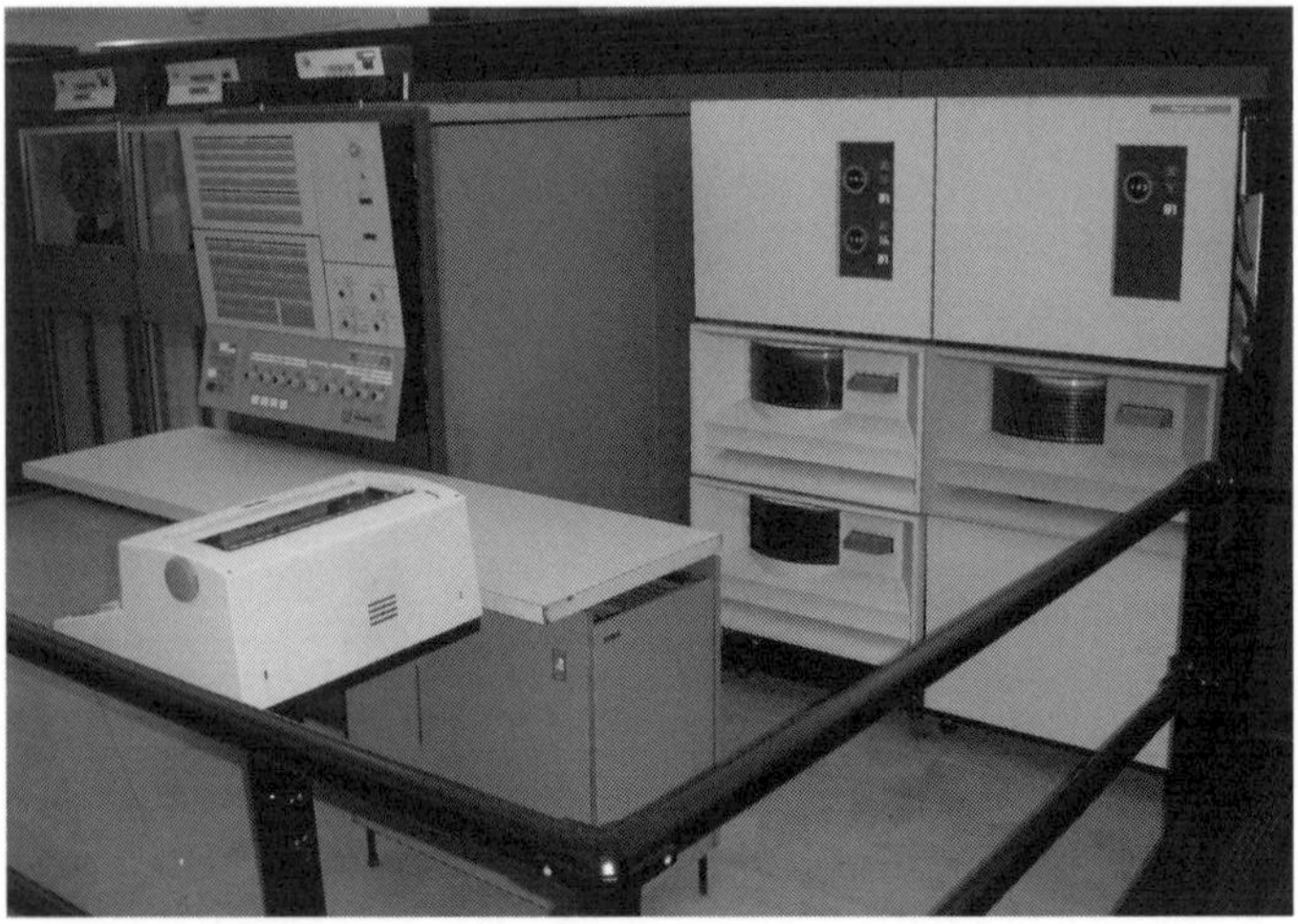

出典：Wikipedia「System/360」(https://ja.wikipedia.org/wiki/System/360)

このアイデアを実現するために、国内の半導体メーカーに話を持ち込んでも相手にされなかったため、ビジコン社の担当者はアメリカの西海岸にベンチャー企業として設立されたばかりのIntel（インテル）社を訪れました。しかしIntelは10個もの新しいチップを同時に設計するのはたいへんだから、いっそ一つのチップですべての処理をやらせたらどうかと提案しました。

ビジコンの技術者はIntelのエンジニア、フェデリコ・ファジンとともにどんな計算処理もできる汎用的なチップの設計に取り組みます。期間はわずか6ヶ月でした。そうして生まれたのが、世界初のマイクロプロセッサと呼ばれる、「Intel4004」です。

そしてこれが、Intelが世界に冠たるＣＰＵ帝国としていまなお世界に君臨し続けるきっかけとなったプロジェクトでした。

これが実現したのは、最初は役に立たないと思われたトランジスタの発明と、そもそもなにに使うのかわからず予算が集められなくて挫折したバベッジのコンピュータの発明（48ページ参照）、そして一見するとまったく無関係な、日本の電卓戦争です。わずか6ヶ月で開発したのも、クリスマス商戦に間に合わせたいというひじょうに商業的な都合でした。

当初はビジコン社が独占的に権利を持つ予定でしたが、Intelは出来上がったIntel4004の出来栄えに可能性を見出し、ビジコン社に一部返金することでほかのメーカーへの販売もできるようになります。このことで一気にコンピュータは、巨大企業や政府や大学が独占するものから、ごく普通の人々が使うものに変化します。この変化は劇的かつ、不可逆なものになります。

18

ハッカー誕生の地MITから生まれた偉大な発明～ゲーム、自由なソフトウェア、インターネット～

さて、時代は少しまた遡り、1962年、場所は東海岸のボストンに移ります。アメリカの名門校はいろいろな場所にありますが、ボストンには二つの有名大学があります。一つはアメリカ合衆国よりも長い歴史を持つハーバード大学。もう一つは、マサチューセッツ工科大学（MIT）です。MITはノーベル賞受賞者81名を誇る超名門校です。そしていま世のなかで使われているコンピュータの技術は、だいたいが1960年代のMITで発明されたか、そのころ在籍していた学生かその弟子が作ったものです。

当時のMITには一つの新しい文化が芽生えつつありました。

大学には高価なコンピュータやそれを使うためのソフトウェアがあり、それらを使う能力のある学生たちがいました。彼らは石橋を叩いて渡るような堅実な仕事を好まず、目的があったら手順の正当性はさておいてとっとと片付けてしまうことを好みました。雑だけれど仕事は速いし役には立つ男たち、彼らは互いを「ハッカー」と呼び合いました。

英語版Wikipedia（ウィキペディア）によれば、ハッカーの特徴は次を指します。

・ソフトウェアを作成し、相互に共有する
・自由な取材を大切に
・秘密主義への敵意
・理想的かつ実際的な戦略としての情報共有
・分岐する権利の擁護
・合理性重視
・権威への嫌悪感
・遊び心のある賢さ、真面目なことをユーモラスに、ユーモアを真剣に受け止める

※参照：https://en.wikipedia.org/wiki/Hacker_culture

ハッカーは職業ではなく、その人間の気質を意味します。

そして、１９６０年代のＭＩＴを中心としてカリフォルニア大学バークレー校や、カーネギーメロン大学などにハッカー文化は広がっていきます。

コンピュータ・プログラムのもととなる設計書をソースコードと呼びますが、このソースコードを自由に公開して、お互い改造しようぜ、というのがハッカー文化の根幹にあります。

しかし、ソースコードを公開するということは、一般の企業からすれば、せっかく作った財宝を無料でばら撒くに等しい行為にも思えます。こうしてハッカー文化と企業は対立していくのです。これはそんなお話です。

1960年代中ごろには、MITとAT&Tベル研究所、General Electric（ゼネラル・エレクトリック）が共同で革新的技術を数多く盛り込んだOS（オペレーティングシステム）である「Multics（マルティクス）」を開発しようとします。

しかし、Multicsは巨大で複雑すぎたため、なかなか完成しませんでした。

AT&Tベル研究所からこのプロジェクトに参加していたケン・トンプソンという若い研究者は、せっかく設計した部分だけでも実際に作ってみたいと考え、研究所の片隅に置かれていた古いPDP-7というマシン用にシンプルなOSを実装しますが、彼はMulticsがたくさん（マルチ）の目標を追ってなかなか完成しなかったことを反省して「UNIX

（ユニックス）」と名付けます。

ＵＮＩＸはベル研究所に近しい研究機関、ＭＩＴやスタンフォード大学やカリフォルニア大学やカーネギーメロン大学といった場所にコピーされていき、普及していきました。

このハッカー文化とＡＩ、そして我々の生活は、切っても切れない関係にあります。ハッカー文化の中心にあったのはＭＩＴの鉄道模型技術クラブと人工知能研究所でした。

さらに多くのものがこの時代のＭＩＴで発明されています。たとえばあなたがいつも見ているコンピュータのスクリーン、ＶＲ（バーチャルリアリティ）といったものは、ＭＩＴで開発されたものです。さらに重要なものがあります。コンピュータゲームです。

コンピュータゲーム自体は、１９５０年代からさまざまな大学で作られていました。コンピュータの能力を試すためにゲームは最適な題材だったのです。ただしこのころは、チェスやチェッカー、ポーカーやブラックジャックのようなボードゲームをコンピュータ上に再現して、人間と同じように相手に勝つためにはどうすればいいのか考える、といった、まさにいまの人工知能研究の萌芽のようなことが行われていました。

なにしろ、舞台は大学、目的は「研究」です。単に遊ぶためのゲームを作っていたら教

複数のコンピュータでプレイできる「Spacewar!」

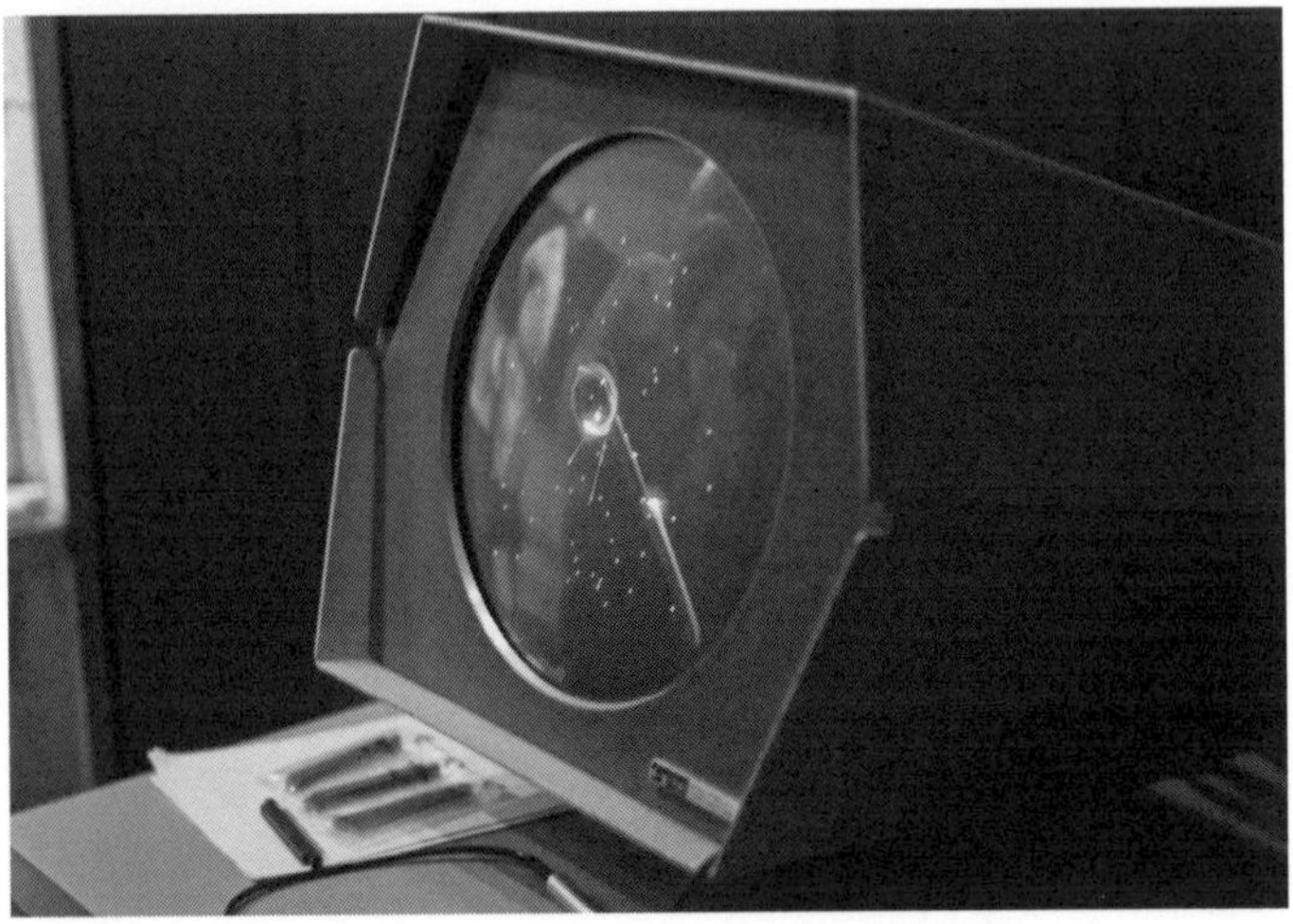

出典：Wikipedia「Spacewar!」(https://en.wikipedia.org/wiki/Spacewar!)

授に怒られてしまいます。

そのなかで、1962年にMITのラッセルらが作ったゲーム「Spacewar!(スペースウォー!)」に、ボストンの学生は夢中になりました。

このゲームは、コンピュータゲーム史上もっとも多くの影響を与えたゲームと言われています。

画期的だったのはプログラムが公開されていることで、プログラムそのものも、もちろん無償でコピーされ、別のハードウェアにも積極的に移植されました。まさに大ヒットです。

当時、コンピュータは恐ろしく高価だったため、これでコンピュータゲームをビジネスにできると考える人はほとんどいませんでしたが、のちに「ビデオゲーム産業の父」と呼ばれるノーラン・ブッシュネルは、汎用的なコンピュータではなく、Spacewar!のクローンを実行するためだけの専用ハードウェアにして価格を安くするアイデアを実行に移し、「Computer Space（コンピュータースペース）」というゲームを開発し、販売することに成功します。

１９７１年に発売されたComputer Spaceは、１９７２年までに１３００台以上が販売されましたが、スポンサーの期待したほどの売れ行きではなかったため、ノーラン・ブッシュネルは仲間とともに新しい会社「Atari（アタリ）社」を立ち上げます。Atari社では、のちのApple創業者となるスティーブ・ジョブズなどが働いていました。

さらに１９７４年、ハーバード大学の物理学科を最優秀の成績で卒業したリチャード・ストールマンという男がいました。彼は在学中からＭＩＴの人工知能研究所でプログラマーとなり、ハッカーコミュニティの洗礼を受けました。

当時のＭＩＴで研究されていたＡＩは、本書の中心的テーマである人工ニューラルネットワークではなく、記号処理と呼ばれるシステムで、そのプログラムは「ＬＩＳＰ（リスプ）」という古いプログラミング言語で書かれていました。ストールマンはＬＩＳＰの使い手として名を上げていました。

ＭＩＴの人工知能研究所で生まれたなかでももっとも有名な製品の一つは、「Emacs（イーマックス）」というアプリケーションです。

これはひじょうに高度な性能を備えたテキストエディタで、要はプログラマー専用のワープロのようなものです。

Emacsはとても人気があったため、多くの人がクローンソフトを書きました。そのなかには商用化されてしまったものもあり、自由にプログラムを書き換えて再配布できないという問題がありました。

ＵＮＩＸでもEmacsを動かそうと、カーネギーメロン大学の博士課程にいたジェームズ・ゴズリンという学生が「Gosling Emacs（ゴズリン イーマックス）」を開発しました。しかし、Gosling Emacsは商用化されたため、ソースコードの扱いが不透明になったのです。

ちょうどそのころ、UNIXも商用化され、システムのバグが発見できてもソースコードを修正する権利がプログラマーに与えられないなどといったことに問題意識を持ったリチャード・ストールマンは、「ソフトウェアは自由であるべきだ」という理想を掲げ、1983年に「フリーソフトウェア財団（FSF）」を立ち上げ、「「GNU is Not UNIX」の頭文字を取った「GNUプロジェクト」を開始します。

プロジェクトの目的は、「再配布自由・改変自由なUNIXクローンのOSを作成すること」でした。

この「自由なUNIX」を実現するため、Emacsや「gcc（コンパイラ）」などが開発され、それらは既存のUNIX上でも動作したため、あっという間に普及していきます。

これが「フリーソフトウェア」の始まりです。

この「フリーソフトウェア」という思想と、「アイデアを共有し合う」というハッカー文化が世のなかを席巻し、「知恵を合わせる力」としてのコンピュータ産業を加速させていきます。

ＧＮＵプロジェクトの推進を後押ししたのは、やはりインターネットでした。

インターネットを通じて誰でもＧＮＵプロジェクトの最新の成果を共有することができ、また腕に覚えがあるものは、ＧＮＵプロジェクトのソフトウェアにバグを見つけたら、それを修正して開発者にフィードバックすることができるようになりました。

そして、ソフトウェアの品質は飛躍的に向上していきます。

19

Microsoftはなぜ大学生に負けたのか？

いま現在、世界でもっとも使われているＯＳはなにかご存じでしょうか？

ちなみに、WindowsでもiOS（アイオーエス）でもありません。そう言うと、コンピュータ業界の外にいる人の大半は驚きます。

答えは、「Linux（リナックス）」、次いでＵＮＩＸ、Windowsは多く見積もっても3番目でしょう。

種明かしをすると、実はＷｅｂサーバーというのはほとんどLinuxで動いています。

そして、世界でもっとも普及しているスマートフォンはAndroid（アンドロイド）です。

AndroidもＯＳですが、AndroidはLinuxの上に構築されたＯＳです。したがって、AndroidもLinuxの一種と言えます。

さらに、Ｗｅｂサーバーとしては歴史が古いＵＮＩＸで動いているものも少なくないのですが、おそらくもっとも普及しているＵＮＩＸ系ＯＳは、iOSです。実はiOSもmacOS（マックオーエス）も、内部にＵＮＩＸからの系譜を持つＯＳを持っています。つまり、iOSもmacOSもＵＮＩＸというわけです。

そう考えると、Windowsにはいささか分が悪い勝負です。

また、ゲーム機もＵＮＩＸ系ＯＳで動いているケースが多く、ビデオデッキやテレビなどの家電製品も、おそらく大半がLinuxで動いています。

したがって、Linuxが世界一普及したＯＳということになるでしょう。

このLinuxで印象的なことは、大学生が1人で作ったという逸話です。

１９９１年、ヘルシンキ大学のコンピューターサイエンスの学生であるリーナス・トーバルズは、個人的なプロジェクトとしてLinuxの開発を開始しました。

彼は元々、パソコンで動くＵＮＩＸ風システムである「ＭＩＮＩＸ（ミニックス）」のファンでした。

ＭＩＮＩＸは、１９６５年にＭＩＴを卒業したアンドリュー・タネンバウムという研究者が学生がＯＳの勉強をするために家庭用ＰＣで動くＵＮＩＸ風ＯＳが必要だろうということで開発したものです。

ＰＣ用のマイクロチップは、タネンバウムがＭＩＮＩＸを作ったときには16ビットのものが主流でしたが、リーナスが学生になるころには32ビットのものが当たり前になっていました。

IntelはＣＰＵをバージョンアップするたびに新機能を盛り込みましたが、しだいに盛り込む機能がなくなっていきました。

この当時、大学で使うＵＮＩＸマシンの大半は32ビットコンピュータで、どれも数百万円しました。

スティーブ・ジョブズが自ら創業したApple Computerを追放されて１９８５年に立ち上げたNeXT（ネクスト）社も、大学向けの３００万円台の32ビットコンピュータを販売していました。

ただし、Intelは32ビットのマイクロプロセッサをまだ開発していませんでした。

Intelは新たに互換性を保ったまま32ビットのプロセッサを作るにあたり、「せっかく32ビットにするんだから、大学で使うＵＮＩＸマシンでもIntelのＣＰＵを使ってもらえるのではないか」とそれまで家庭用ＰＣに一切入っていなかったセキュリティ関係の強力な機能を盛り込んで「Intel 80386」というマイクロプロセッサを開発しました。

すでに一大市場となっていた家庭用ＰＣメーカーは、単純に「32ビットになってより性能が上がった８０３８６」としてそれまで売っていたパソコンをそのままアップグレードしました。

しかし実はIntel 80386は、それまでのIntelのマイクロプロセッサとは根本的に違うものだったのです。

その内容は、家庭用ＰＣ向けでありながら、本格的なものでした。

リーナスはそれを知っていたため、「ＭＩＮＩＸももう少し手を加えてセキュリティ機能に対応すればＵＮＩＸにもっと近づくことができるはずだ」と主張したのですが、タネンバウムは「ＭＩＮＩＸは教育用だ」と取り合いませんでした。

失望したリーナスは、ついに自分一人でＵＮＩＸと互換性のあるＯＳを開発することにします。

Intel 80386の複雑なマニュアルを読み解き、誰もが尻込みするような挑戦を果敢に決行したのです。

普通に考えれば、MicrosoftやＩＢＭのような大企業が大金を投じて行っている本格的なＯＳの開発をたった一人の大学生がやるのは無謀に思えます。

しかしリーナスには勝算がありました。

リーナスはＵＮＩＸ互換のカーネル部分だけを書いてしまえば、あとはＧＮＵプロジェクトにすべて必要なツールがそろっていることを知っていたのです。

１９９１年。Linuxは産声を上げました。

当初、Linuxは厳密にはフリーソフトウェアではなかったのですが、リーナスはLinuxをＧＮＵプロジェクトの提唱するライセンス形態であるＧＰＬへ変更し、自由なＵＮＩＸ互換ＯＳが誕生したのです。

20 自由なソフトウェアと商用化は矛盾しない

Linux、そしてGNUプロジェクトが画期的だったのは、フリーソフトウェアは「自由なソフトウェア」であって「無料のソフトウェア」ではないということを明確化したことです。

GNUプロジェクトの成果はGNU General Public Licenseの頭文字を取った「GPL」という規約のもとに配布されます。その条項のなかには、「GPLで配布されたソフトウェアの使用者はいつでも、ソースコードの提出を求めることができる」というものがあります。

しかし、ソースコードの提出を求めることができることが、すなわち商用化を妨げることがないようになっています。

Linuxを商用化することに取り組んだ人々のうち、成功した会社はいくつもあります。

IBMの子会社であるRedHat（レッドハット）社は、自分たちで独自に整理した「RedHat Linux」を販売し、ソースコードは公開した上で、メンテナンスサービスを販売するというやり方で商用化とオープンソース化を両立させています。

RedHat Linuxは、アメリカ航空宇宙局（NASA）をはじめ、世界中の研究機関で使われています。

仮にソースコードが入手可能だとしても、コンピュータウイルスや不正アクセスからシステム全体を守り続けるためにメンテナンスするのは、できれば外部に任せたいものです。


Androidも似ています。前述したように、Androidの内部にはLinuxが含まれています。Android自体はオープンソースであり、ソースコードを含めて誰でも入手できます。

ではAndroidを開発したGoogleはどうやって収益を得ているかというと、実はAndroidに搭載されている「Gmail」や「Google Map」、「Google Play」などのアプリケーションには特許やさまざまな知的財産が含まれています。これらを使いたい場合は、Googleに別途ライセンス料を払わなければならないという仕組みになっているのです。

そのため、Google PlayやGmailのないKindle端末のようなものはAndroidであってもGoogleにライセンス料を払う必要がない場合があります。

一体なぜ、Googleはそんな面倒なことをしてまでAndroidを無償提供することにしているのでしょうか。

いくつか説があると思いますが、私はこう考えています。

Googleは Androidをオープンソースにすることで、他社に主導権を握らせないように牽制しているのです。

もしも仮にMicrosoftがこの分野に乗り出したいと考えたとき、それは完全にオープンソースのAndroidと戦うことを意味します。でも、すでにAndroid端末を作るという実績を重ねてきた端末メーカーとしては、いまさらMicrosoftの新しいスマートフォン用ＯＳに対応する手間は避けたいと考えるのが普通です。

やはりＯＳと言っても、端末ごとにいろいろなハードウェアの違いがあるので完全にそのまま使えるわけではありません。

オープンソースのAndroidに搭載されているブラウザなどの基本的なソフトも、それほど高性能ではありません。Googleにライセンス料を払えば、そういうものがすべて用意してもらえるのです。その手間を考えると、新しいライバルが参入する隙は少ないと言えるでしょう。

また、オープンソースにすることでバグがあっても有志たちが修正してくれるというメリットもあります。

ちなみにAndroidで動いているプログラミング言語の「Java（ジャバ）」は、EmacsのＵＮＩＸ版を開発したジェームズ・ゴズリンが開発した言語です。オープンソースコミュニティが出来上がるきっかけになった人の仕事がここでも出てくるというのはおもしろいですね。

21 ファミコンから始まったゲーム機戦争

１９８３年に登場した家庭用ゲーム機「ファミリーコンピュータ」は、大ブームになり、日本だけでなく世界各国で売れに売れました。これに呼応して、日本のセガ・エンタープライゼスが「メガドライブ」を、ＮＥＣホームエレクトロニクスが「ＰＣエンジン」を相次いで発売します。

8ビットだったファミコンに対し、メガドライブとPCエンジンは16ビットでした。大ヒットしているファミコンも16ビットへのバージョンアップを、ということで開発されたのが「スーパーファミコン」です。

スーパーファミコンは、当時の16ビットゲーム機のなかでもかなりの高性能を誇っていました。

スーパーファミコンの持つ優れた機能でとりわけ高く評価されていた機能の一つがサウンド機能で、ソニー製のチップが使われていました。

スーパーファミコンはファミコンに続く大ヒットを記録し、この音源チップの開発を主導したことから、任天堂とソニーは急接近していきます。

そののち、ソニーが得意とするCD-ROMを使ったスーパーファミコンの拡張ユニットを作ろうという企画が立ち上がります。

それが「PlayStation（プレイステーション）」と呼ばれるものでした。

しかし、残念ながらこの計画は頓挫してしまいます。

この計画のソニー側の担当者だった久夛良木健《くたらぎけん》氏が、当時のソニーの社長だった大賀典《おおがのり》雄《お》氏に直談判して、ソニーは独自の家庭用ゲーム機「PlayStation」を開発することになります。

PlayStationは、それまでとはまったく異なるコンセプトのゲーム機でした。

ゲーム機は元々は汎用的なコンピュータでは値段が高くなりすぎるから、ゲーム専用に機能を削ったコンピュータを作ることで安くする、という発想で作られていました。

しかし、ソニーは半導体の会社です。半導体というのは、時間が経てば経つほど生産性を上げていくことができます。つまり性能がそのままでも、より小さく安くできます。

半導体が将来に渡って値段が下がり続けることを計算に入れた上で、同じ性能のゲーム機を5年売り続けることができれば、最初は赤字でも最後は必ず儲けが出る。そんな大胆な発想で、PlayStationは設計されたのです。

このとき、切り札となったのが、3D機能でした。PlayStationに3D機能が載ったことが、結局は30年後、AIの運命を大きく切り開くことになります。

3D機能とは、簡単に言えば立体的な表現をするための機能です。

それまで、そんな機能は数十万円するＰＣにも載っていませんでした。映画やテレビ番組の制作に使われる、何千万から何億円もする高価なグラフィックス専用ワークステーションにしかそんな機能は搭載されていませんでした。それを４万円以下で販売するゲーム機に載せるというのです。

22 天才たちの楽園〜サザーランドと弟子たち〜

ゲーム機の進歩の話をするときにどうしてもしておかなければならない話があります。ここで１９６０年代のＭＩＴに遡りましょう。

１９６３年、ＭＩＴで博士過程に在籍していたアイヴァン・サザーランドは、「SketchPad（スケッチパッド）」という機械を試作します。これは、画面にペンで図形を描くと、それを変形させたりコピーしたりできるというものでした。

サザーランドのSketchPadは、多くの人々の心を強く惹きつけました。コンピュータにそんな使い方ができるなどとは、誰も考えていなかったからです。

Sketchpadを操作中するサザーランド

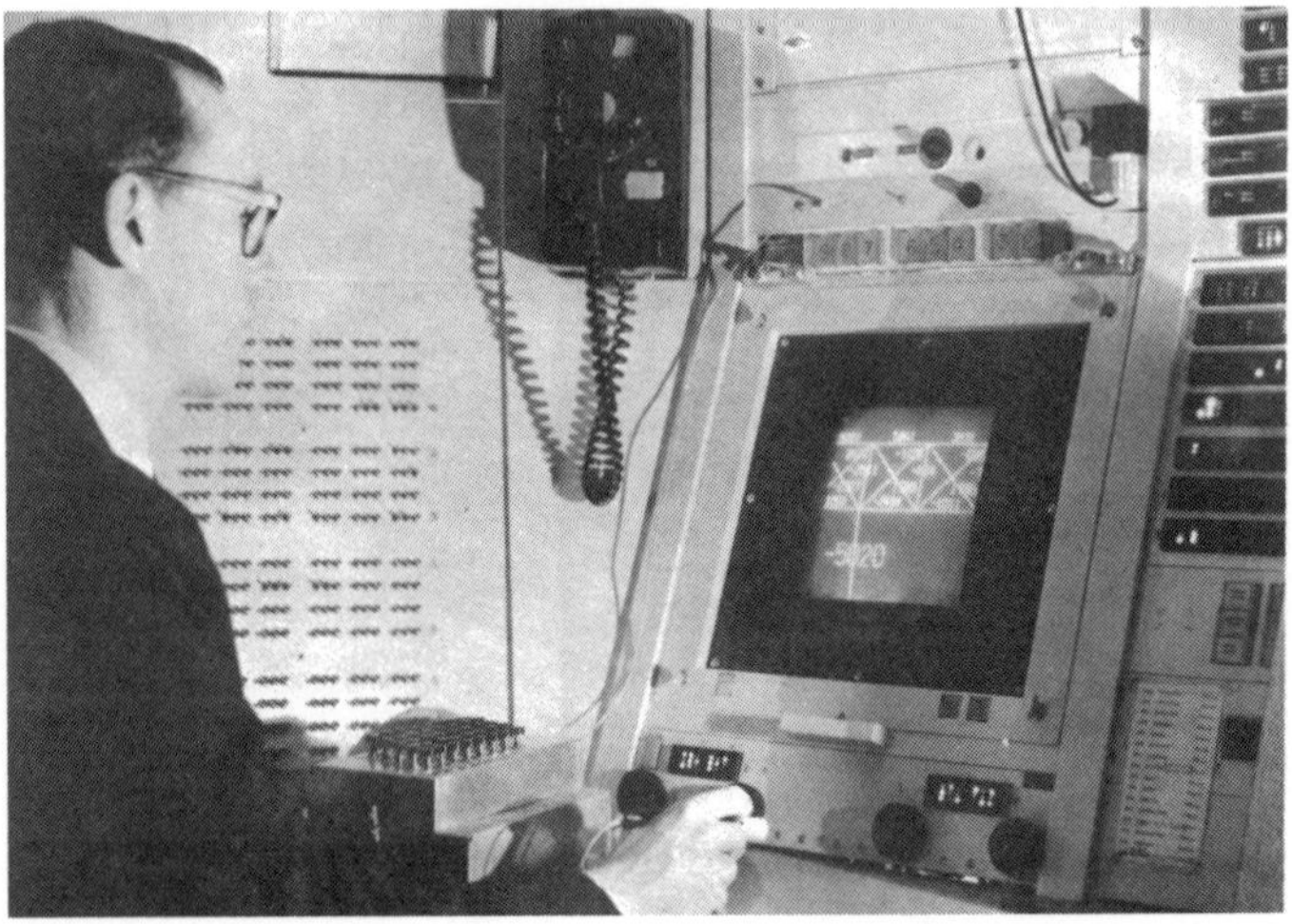

出典：Wikipedia「Sketchpad」（https://ja.wikipedia.org/wiki/Sketchpad）

のちに、サザーランドはVRの研究などでも有名になり、1968年にユタ大学で教授になります。

そのころのサザーランドの弟子たちは、綺《き》羅《ら》星《ほし》のごとき才能がそろっています。スティーブ・ジョブズとPixar（ピクサー）社を作るエド・キャットムル、NASAのジェット推進研究所でCGを作るジム・ブリン、Adobe（アドビ）の創業者となるジョン・ワーノック、のちにジョブズとビル・ゲイツの両方に大きな影響を与えることになるアラン・ケイ、そしてジム・クラークです。

ジム・クラークは歴史上重要な貢献を少なくとも2回はしています。

一つは、SiliconeGraphics（シリコングラフィックス）社の創業。もう一つは、ネットスケープコミュニケーションの創業です。

シリコングラフィックス社は、グラフィック専用ワークステーションを製造・販売する会社で、ひじょうに大きな成功を収めました。前述した数千万から数億円する専用コンピュータとはまさにシリコングラフィックスのワークステーションのことです。

そしてソニーのPlayStationが参考にしたのは、まさにこのシリコングラフィックスのワークステーションでした。元々数千万円するコンピュータにしかない機能をどうやってわずか４万円以下のゲーム機に搭載するか。そこが腕の見せ所だったわけです。

PlayStationが成功すると、ＰＣ用にも３Ｄ機能を追加するためのパーツが販売されるようになりました。各社がＰＣ用３Ｄ機能を実現するための半導体開発に熱中し、相対的にシリコングラフィックスが販売するような高価な機械は需要がなくなっていきました。

最終的にシリコングラフィックスは破産しますが、シリコングラフィックス出身のエンジニアたちはさまざまなメーカーに散らばって活躍します。

なかでもシリコングラフィックス出身の研究者が大活躍したのが「NVIDIA（エヌビディア）」という半導体メーカーでした。

NVIDIAは、できたばかりのころ、PC用3D機能パーツを設計する小さな会社に過ぎませんでした。自前の工場も持たず、設計図だけ書いて売るというメーカーです。当時こうしたメーカーはいくつかありました。

そののち、NVIDIAは20年かけてAIになくてはならないパーツを開発する業界のリーディングカンパニーになります。その話はまたあとでしましょう。

23 MIT人工知能研究所とシンボリックス社

1980年代に入ると、MIT人工知能研究所の研究者たちは、自らの研究成果を商品化することを考え、シンボリックス社という会社を立ち上げます。

シンボリックス社はMIT人工知能研究所のハッカー文化を持ったまま、「LISPというハッカーが好んで使うプログラミング言語を実行する専用のハードウェアを製造・販売する会社でした。

ところがマシンの製造・販売はシンボリックス社が、ソフトウェアの著作権はMITが持つ、という契約だったため、契約が混乱し、ひずみになっていきます。

このことがきっかけでリチャード・ストールマンはGNUプロジェクトを立ち上げることになります。

しかし、私たち日本人にとって、そしてゲーム産業史にとって大切なのは、シンボリックスが高度な3D描画機能を備えていたということです。当時はハードウェア的な描画機能はなかったため、3DCG映像制作のソフトウェアを自社開発していたのです。

1982年、日本の商社であるニチメン（現在の双日）は、シンボリックス社の日本総代理店になります。

中央大学の理工学部を卒業した橋本和幸《はしもとかずゆき》氏は、就職したあと、シンボリックス社のコンピュータを扱う仕事につきます。

当時、学部にコンピュータサイエンスの学科はなく、入社後もマニュアルなどが整備されていたわけではないなか、橋本氏は、シンボリックスのOSについていたマニュアルだけを頼りに、見様見真似《みようみまね》でプログラミングをマスターしていきました。

ハッカー文化のなかで作られたシンボリックス・マシンは、今時のOSとはまるで違い、セキュリティというものがありませんでした。どんなプログラムも中身を見ることができ、実行中でもプログラムを書き換えることができるという自由度が高いものでした。

ある週の水曜日、営業のメンバーが会社に戻ってきてこう言いました。

「某テレビ局の天気予報用システムの入札があるんだけど」

橋本氏は、すぐにアポを取ってもらって、木曜日に話を聞きに行き、金土日の3日間でデモシステムを作って月曜日に営業に見せ、火曜日にクライアントに見に来てもらいました。

これは、作画デザインからデータベースにアクセスして描画および自動収録まで行うシステムでした。

ある日、橋本氏の噂を聞きつけた久夛良木健氏がソニーからやってきました。PlayStationは、これよりずっと前に、シンボリックスのユーザーがSCE（ソニー・コンピュータエンタテインメント。現：ソニー・インタラクティブエンタテインメント）に転職し、デモンストレーションの作成まで進んでいましたが、それをプレイステーションの開発機で動かしたいという相談を受け、橋本氏はSCEのエンジニアと話をし、先方の希望する形式でデータ出力するようにプログラムを書きました。

24 次世代ゲーム機戦争

ソニーのPlayStation、セガの「セガサターン」、任天堂の「NINTENDO64（ニンテンドウろくじゅうよん）」、アメリカ３ＤＯ社の「３ＤＯ（スリーディーオー）」といったゲーム機以降の戦いは、最初の「次世代ゲーム機戦争」と呼ばれています。これらの鍵はすべて３Ｄ機能でした。

実はセガサターンは３Ｄ機能がそれほど強力ではなく、この反省を生かしてかなり強力な３Ｄ機能を搭載したのがセガサターンの後継機である「ドリームキャスト」です。

橋本和幸氏はスクウェアに転職し、「ファイナルファンタジーⅦ」を任天堂の「NINTENDO64」ではなく、ソニーのPlayStationで出すという重大な決定を行います。彼にしてみれば、発売前のデモのころから付き合っているPlayStationの方がずっと愛着があったのです。ファイナルファンタジーⅦの開発でも橋本氏はハッカーとしてのスキルを存分に生かし、シンボリックスのマシンで作ったデータをPlayStationで動作させています。ファイナルファンタジーⅦのグラフィックスは次世代ゲーム機のなかでもずば抜けて画期的で、世界中のプレイヤーを驚かせました。橋本氏はそののち、NVIDIAにヘッドハンティングされ、「Nintendo Switch（にんてんどうスイッチ）」にNVIDIAのチップを提供する契約締結に貢献します。

さらにソニーはPlayStationを、「PlayStation2」、「PlayStation3」へと進化させます。セガはMicrosoftをパートナーにドリームキャストを開発しましたが、次世代ゲーム機戦争からは撤退し、Microsoftはドリームキャストのチームをそのまま残して「Xbox（エックスボックス）」を開発します。

このころになると、3D機能をいかに強化したのかということが次世代ゲーム機の中心的な話題になります。この流れは「PlayStation4」まで続きました。

3D機能が強化されればされるほど、よりリアルなグラフィックスが実現可能になり、ゲームはまるで映画のようになっていく、と信じられていました。

25 PCとMac、GPUの共進化

１９９０年代後半、家庭用ゲーム機が３Ｄ機能で盛り上がっている横で、ＰＣ用３Ｄ機能も大幅に強化されていきます。NVIDIAや3dfx Interactive（スリーディーエフエックスインタラクティブ）、Savage（サベージ）、ATI Technologes（エーティーアイテクノロジーズ）といった有力なＧＰＵメーカーが次々と新設計の部品を開発していきます。この３Ｄ機能を実現するための部品をＧＰＵと呼びます。

AppleがmacOSXで大胆にＧＰＵを使うユーザーインターフェースを実現し、Appleのコンピュータではは最初から標準装備となりました。

しかし、いつまで経ってもWindows PCの世界ではＧＰＵはあくまでも「あればいいな」というものであって必需品ではありませんでした。ＧＰＵはヘビーなゲーマーの使うもので、ビジネスマンが使うマシンにはそこまで高度なものは必要ないと考えられていました。

しかし、ここでテクニウムの大切な性質を一つ思い出す必要があります。
つまり、技術は、必要性が生まれる前に生まれ、必要がなくても進化することで取り込まれるのです。

1990年代後半、GPUがどんどん進歩するのと裏腹にCPU（Central Processing Unit：通常のコンピュータに使われるメイン部品）の進歩は停滞していました。
CPUの進歩が停滞すると困る人が出てきます。それは、PCのセールスマンです。

PCというのは一回売ったら終わりですから、定期的に買い替えてもらう必要がありま す。しかし、去年売ったPCと今年売っているPCのCPUの性能にまったく差がないとしたら、売り文句に困ります。

ところが、このころのCPUというのはかなり性能の限界に達していて、去年のCPUに比べて今年のCPUが目に見えて高速、というわけにはいかなくなったのです。
そこでCPUメーカーは、CPUを補佐するチップセットのなかにGPUの機能を取り込むというアイデアを思い付きます。

誰もそうしてくれと言ったわけではありません。ただ、そうするしか「今年のCPUは去年のものよりもいいものですよ」という説明ができなくなってきたのです。

するとと困るのはGPUメーカーです。

元々CPUだけでは高度な3D処理ができないからGPUをわざわざ別に買っていたのに、CPUに最初からついてくるならGPUを別に買う必要性がなくなります。

ここでGPUメーカーの淘汰が始まりました。

それでも生き残ったのは、ごくわずかなメーカーです。

生き残り戦略はさまざまで、イギリスのImagination Technologies（イマジネーションテクノロジーズ）社の「PowerVR（パワーブイアール）」はモバイル向けに低消費電力な設計に特化していきスマートフォン向けに生き残りを図り、ATI TechnologiesはCPUメーカーのAMD（アドバンスト・マイクロ・デバイセズ）に買収されたことでCPUとGPUを一体化したAPU（Accelerated Processing Unit）という半導体製品を作り、高性能化とコストダウンを成功させました。これはPlayStation4などに採用されています。

唯一、NVIDIAだけは、自分たちが理想と掲げるコンピュータグラフィックスの実現のためにIntelのようなCPUメーカーが自社では絶対に作らないような高度で複雑な機能を追求することで生き残りを図りました。

iPhoneはmacOSと同等のプログラムを動かしたい、という思想があったので、最初からＧＰＵを搭載して設計されました。iPhoneをなんとか真似したいほかのAndroidメーカーも自動的にＧＰＵを搭載することを余儀なくされました。

結果として、最初はまったくゲーム用にしか不要と思われていたＧＰＵが、テクニウムの持つ複雑な性質によって低価格化し、普及し、ゲーム以外の用途にも使われ始めました。

26 NVIDIAの選んだ生き残りの道～GPGPUとCUDA～

とにかくひたすら高機能なＧＰＵを追求するNVIDIAが、もはやグラフィック用途だけでは高価なＧＰＵを買ってもらえないだろうと考えて推進したのが一般目的ＧＰＵ、通称GPGPU（General Purpose GPU）です。

NVIDIAの目的は、ＧＰＵ分野をリードし、夢のグラフィックス環境を実現することですが、ゲーム用の部品としての使われ方には限界があります。

そこで映画やゲーム以外にもＧＰＵを使ってもらおうとＧＰＵの機能をグラフィックス用途以外にも活用できるように広げることにしました。

大量の行列演算を高速に扱うことができるＧＰＵの性質は、大学で使う科学技術計算やシミュレーションなどに応用できると考えたのです。

そのためのツールが「ＣＵＤＡ（クーダ）」です。

ＣＵＤＡはCompute Unified Device Architectureの略で、プログラマーはＣＵＤＡを使うとＧＰＵを使って大量の計算を信じられないくらい効率的に処理できるようになります。

結果的にこの賭けは成功しました。

いま、世界で動いているほとんどのＡＩはNVIDIAのＣＵＤＡで動くように書かれています。

Intelをはじめとして、幾多のライバルがNVIDIAのＣＵＤＡに挑戦していますが、いまだに性能で比肩できた会社はありません。それほどにNVIDIAの高性能なＧＰＵにかける情熱はすさまじく、それに付随して関連する重要な特許をすべて押さえていることが効いているのです。

27

Webサービスと Web2・0

１９９０年代が終わりに入ると、Ｗｅｂが爆発的に普及し、誰もがアクセスできるようになります。増大し続けるＷｅｂサイトを効率的に発見するために、最初は人力の検索エンジンであるYahoo!が、そしてロボット型検索エンジンであるAltaVista、そしてGoogleが登場します。

２０００年代に入ると、Ｗｅｂはさながら一つの巨大なデータベースのようになっていきました。

必要なものはすべてＷｅｂで調べることができるようになり、買い物もＷｅｂでするのが当たり前になります。日本では、１９９９年にｉモードが登場してどこにいてもＷｅｂにアクセスできるようになります。

２００４年にはＷｅｂをさらに便利なものにしようという「Ｗｅｂ２・０」というムーブメントが発生します。Ｗｅｂ２・０は、Ｗｅｂを中心としながらも、それまでできなかったより多くのことをできるようにするための運動でした。

Ｗｅｂ２・０は大きなブームとなり、世界中のテック企業がＷｅｂ２・０を標榜しましたが、そのコンセプトのすべてが生き残ったわけではありません。たとえば、Ｗｅｂ２・０ではＲＳＳ（アール・エス・エス）という、情報流通の仕組みが整えられましたが現在では廃れつつあります。

しかし重要なアイデアとして、「マッシュアップ」というものがありました。

マッシュアップは、天気予報とゲームなど、一見するとまったく無関係に見えるようなものをＡＰＩ（Application Programming Interface：プログラムからプログラムを呼び出す方法）を通じて相互に接続できるようにすることで、単独のサービスでは提供できないような新しい付加価値を生み出そうという考え方です。

マッシュアップの一番わかりやすい例はGoogleMapです。

GoogleMapは、単独でも地図サービスとして使えますが、ほかのＷｅｂサイトのなかに組み込むこともできます。たとえばお店の情報が書かれた口コミサイトのなかにもGoogleMapを組み込んだりします。これがマッシュアップです。

マッシュアップを支えるのがWeb API（ウェブエーピーアイ）と呼ばれるもので、各サービスはWeb APIを用意することでほかのサービスと組み合わせることができるようになりました。

Web2・0時代にはさまざまなWeb APIが大量に生まれましたが、時間の流れとともに淘汰されていきました。いまもGoogle検索やOpenAIのGPTなど、Web APIで使うものはたくさん残っています。

GPTが話題になったとき、たくさんのサービスが一気呵成に生まれたのは、GPTがWeb APIに対応していて、どんなサービスにも手軽に組み込めるようになっていたからです。

Web2・0のムーブメントはこうして現代まで受け継がれているのです。

28 世界中のプログラマーの集合知GitHub

2008年になると、GitHub（ギットハブ）というコミュニティが立ち上がります。Linuxを開発したリーナス・トーバルズは、Linux以外にも人類にとって重要なソフトを作ります。それが「Git」と呼ばれるソフトです。

Gitはソースコード管理システムの一種でした。

ソースコード管理システムとは、プログラムの本体であるソースコードを、バージョンごとに細かく管理するためのツールです。

プログラムというのはほんの少しの矛盾があっても正しく動作しないので、巨大になればなるほど管理が難しいという問題がありました。

そのため、大人数が関わるプロジェクトなどではソースコード管理システムは必須と言ってもよいものです。それまでにもいろいろなソースコード管理システムがありましたが、リーナスが開発したのは主にオープンソース開発者のためのソースコード管理システムです。

リーナスはLinuxという巨大なシステムを作り上げるために無数の協力者たちと一緒にソースコードを管理する必要に迫られました。そこで、Linuxをうまく作るために開発されたのがGitというわけです。

Gitにはいくつか重要な特徴があるのですが、本書はプログラマー向けの本ではないので詳しい機能については割愛します。

重要なのは、Gitによって、多くのプログラマーが、互いのプログラムを修正したり、新機能を提案したり、改良を加えたりなどが劇的にしやすくなったことです。

そしてGitを提供するＷｅｂサービスであるGitHubは、そのGitを使う世界中のプログラマーたちが手に手を取り合って知恵を合わせる方法を提供する巨大なコミュニティへと成長しました。

GitHubがなければ、現在ほどのスピードでＡＩ研究が進むことはあり得なかったでしょう。人工知能の研究者は自分の作業経過をGitHubに保存し、その途中経過をほかの研究者が派生させて使ったり、元のプログラムの欠陥を見つけたり、情報交換の場としてたいへん有効に機能しています。

29 人工知能研究者のための溜まり場HuggingFace

現在、ＡＩの最先端研究はほとんどすべて、「Hugging Face（ハギングフェイス）」というサイトに集められています。

日本語に直訳すると「抱きしめる顔」という奇妙な訳になってしまいますが、Hugging Faceは、ＡＩ版のGitHubのようなサイトです。

プログラムを置くことができるのはもちろん、プログラムだけでなくＡＩモデルそのものを置くこともできます。

実はGitHubではあまり巨大なファイルを置くことができず、人工知能研究者は自分たちが学習させたモデルを置ける場所がなくて困っていました。

Hugging FaceはＡＩモデルを自由に置いてほかの人に使ってもらえる便利なコミュニティとして２０１６年の登場から瞬く間に人工知能研究者の間で流行し、デファクト・スタンダード（事実上の標準）になりました。

いま、新しいモデルが発表される場はたいていHugging Face上です。

人工知能研究者にとってHugging Faceは強い味方であり、ＡＩを手軽に使いたい人にとっても便利な場所なのです。

GitHub、Hugging Faceといった便利なコミュニティがあるおかげで、人工知能研究者は日々刻々と進歩し続ける研究成果を共有し、さらなる高みを目指しているのです。

30

AIが人間に勝ったアルファ碁の衝撃

ＡＩ、とくに人工ニューラルネットワークを使ったＡＩがこれほどの注目を浴びたきっかけはいくつかあります。

しかしとくに人々を驚かせたのはなんといっても２０１６年に囲碁のトップ棋士をＡＩが打ち負かした瞬間でしょう。

Google傘下のDeepMind（ディープマインド）社が開発した「AlphaGo（アルファ碁）」というＡＩが、囲碁のトップ棋士であるイ・セドル九段を打ち負かしたというニュースは世界中に衝撃を与えました。

しかし、囲碁を知らない人からしてみたら、これまでにもオセロや将棋、チェスで人間のチャンピオンをコンピュータが打ち負かしたのとなにが違うのか、疑問に思うかもしれません。

私が一番驚いたのは、アルファ碁をさらに一般化したAlphaGo Zero（アルファゼロ）

というプログラムが、印刷するとたかだかホワイトボード1枚に収まってしまうという単純さでした。

人類最高の知性を打ち負かすのに必要なプログラムが、わずかホワイトボード1枚に収まってしまうのです。

アルファ碁、そしてその派生系であるアルファゼロは、強化学習という仕組みで人間以上に強くなりました。

この強化学習という仕組みは人工ニューラルネットワークそのものよりも少し複雑です。人工ニューラルネットワークは、前述のように単純にy＝f（x）となるように学習します。まさに因果関係の学習です。

強化学習では、これに加えて、「経験」を積んでいきます。

たとえば、ある場面である判断をしたら最終的に「勝った」「負けた」などの経験を蓄積しておき、場面場面での経験を学習していきます。

これはマッチ箱とビーズでも再現できる「経験再現学習（エクスペリエンス・リプレイ）」というものです。

重要なのは、時系列で学習するのではなく、たくさんの「経験」のセットをシャッフルして学習することです。

ある場面XでAという判断をしたとき、最終的に勝ったのか負けたのか、ほかの場面YでBという判断をしたとき、最終的に勝ったのか負けたのか、という経験をシャッフルして学習していきます。

こうすることによってたくさんの経験を積めば、その場面でどんな判断を下すべきか自然に学習できるのです。

だから学習される人工ニューラルネットワークはy＝f（x）と、通常のAIと同じなのですが、学習に使う環境が少し違うわけです。

シャッフルして学習することで過学習を防ぐことができます。

つまり、人間のように「勝ち続けて調子に乗る」ことがなく、常に「勝っているとき」のいい思い出と「負けたとき」の苦い思い出を同じくらいの比率で反芻しているのです。

人間は勝ち続けるとついつい同じ手ばかり打つようになってしまい、そこを突かれて負けてしまうことがありますが、十分訓練されたAIにはそういうことがまずありません。

言ってみれば、人工ニューラルネットワークを使った強化学習というのは、データセットが「経験のセット」になり、教師信号が「勝った／負けた」になっただけのものです。しかもオセロのようなゲームでも、囲碁のようなゲームでもそれほど大規模なニューラルネットワークを必要としません。

31 強化学習×大規模言語モデルがChatGPT

２０２２年末に大きな話題を呼んだChatGPTは、この強化学習と大規模言語モデルを組み合わせたものです。

より具体的には、人間によるフィードバックを組み込んだ強化学習（Reinforcement Learning from Human Feedbackを略してＲＬＨＦ）と呼ばれています。

ＡＩの出した出力に人間が点数や順位をつけ、「より人間が好む方向」に学習していきます。

要は文章的な整合性が取れているか、矛盾していないか、ということに人間的な判断を加えて学習に生かしているわけです。

ＲＬＨＦは強力な手法ですが、人間が学習に関わるためひじょうにコストが高い方法になってしまいます。

ChatGPTがときどき考え込んでいるように見えるのは、内部的に自分の出力した、またはこれから出力しようとする文章を見てみて「これで合っているのか」「おかしなことを言っていないか」を別のＡＩで確認しているからではないかと私は想像します。GPT3・5-Turboに比べてGPT-4が極端に遅いのも、やはり確認作業に時間をかけているからではないかと思うのです。

人間だって自分で書いた文章が正しいのか、それで整合性が取れているのか、一度書いてみてから何度も書き直しますよね？　この本だってそうやって書いています。それと同じことをＡＩがやっているのが、ChatGPTの言う「強化学習した大規模言語モデル」ということなのでしょう。

32

高度で大規模な性能を保ち小規模なAIに蒸留する

人工ニューラルネットワーク系のＡＩの持つおもしろい特徴として「蒸留」というものがあります（58ページ参照）。

蒸留とは、教師役となる大規模なＡＩの入力と出力を生徒役となる小規模なＡＩがそっくりそのまま学習することです。

大規模言語モデルのLLaMAが65Ｂ（６５０億）だったのに、13Ｂ（１３０億）のVicunaでも同等の性能が出せるのは、VicunaがLLaMAを蒸留したのと同じことが起きているからです。もっと言えば、さらに規模が大きいはずのGPT-4の出力も学習しているので、GPT-4も蒸留されていると言えます。

GPT-3、およびGPT-4を使う場合はOpenAIのＡＰＩ利用規約を承諾しているはずですが、OpenAIの利用規約では、ＧＰＴシリーズの出力結果を使ってＧＰＴシリーズに対抗するＡＩを作ること、すなわち蒸留するような使い方は禁止されています。

ただ、その主張がどこまで通るのかはわかりません。

たとえばＧＰＴの出力結果で作られたサイトを学習してしまった場合などです。サイトの文章だけを見て、それがＧＰＴ由来のものであるかどうかを判断するのはとても困難です。

33

プログラミング×ＡＩでさらに強力になる

世界初のプログラマーとなったエイダが最初に指摘したように、プログラミングとは「手順を説明可能ならばどんな処理もできる」機械です（48ページ参照）。それと比べると、「学習さえすればどんな因果関係も再現できる」機械であるＡＩは、本質的にはまったく真逆のものです。

この二つの組み合わせは、まさに大きな力を生み出します。

たとえばＧＰＴがもてはやされたときに登場した「LangChain（ラングチェーン）」というプログラミングツールは、ＧＰＴにただ文章を投げるのではなく、ＧＰＴに投げた文章を組み合わせてより高度な結論を見出すことを可能にします。

同じように「LlamaIndex（ラマインデックス）」と呼ばれるプログラミングツールも、GPTにただ文章を投げるのではなく、PDFやWebサイトといったいろいろなツールを使ってより高度な結論を導くことを目的としています。これらのツールが実現したのはWeb2・0で多くのサービスがWeb APIを提供するのが当たり前の世のなかになったからです。まさにテクニウムの交配によって新しいものが実現するようになったのです。

こうしたツールとの組み合わせを考えるには、実は高度なプログラミングスキルというよりも、むしろ創意工夫が肝と言えるでしょう。「どうすればもっとおもしろい結論が導けるか」というアイデア、発想といったものが重要になります。

目的を与えるとAIに計画を立てさせ、その計画に基づいて必要と思われる情報をWebから収集しGPTに要約させる、AutoGPTやAgentGPTのようなツールも出てきました。

この領域はまだまだ発展の途上にあり、これからどんどん伸びていく分野だと思います。

Generative AI

第3章

民主化された生成AIが世界を変える

34

真の民主化がこれから始まる

２０２２年末に登場して大いに話題をさらったChatGPTですが、２０２３年の３月にはGPT-4にバージョンアップ、さらに5月にはChatGPTの日本語版アプリもリリースされました。

しかし、ChatGPTの維持には日本円で一日７０００万円ほどかかるそうです。この開発にも数百億円という投資が行われているため、当然のように新たな技術を先行して利用できたり、充実したサポートが受けられたりする「ChatGPT Plus」の利用は有料であり、モデル本体も公開されていません。

ところが、Facebookを運営するMeta社の研究機関であるＦＡＩＲが開発したLLaMAというモデルは、GPT-3の１／３近いパラメータ数でありながらさまざまなベンチマークでGPT-3を上回る性能を記録しました。ただし、LLaMAは学術用途に利用が制限されており、それを使って研究することはできても仕事に使うことはできません。

つまり、「大規模言語モデル」の「大規模さ」は実はそこまで大きくする必要がないのではないかという考えが生まれてきました。

そして4月には画像生成ＡＩで民主化をもたらしたStabeDiffusionを開発したStability AI（スタビリティ エーアイ）社が、商用利用可能な大規模言語モデル「StableLM（ステーブルエム）」を発表し、ほかにも「Dolly-v2（ドリー ブイツー）」、「OpenLLaMA（オープンラマ）」、「RedPajama（レッド・パジャマ）」、「MPT-7B」といったモデルが相次いで開発・発表されます。

一部の人たちが独占的に使用するＡＩではなく、誰でも自由に使うことができる「開かれた」ＡＩが登場することによって、民主化は完了したと言えるでしょう。

なぜこのようなものが次々と生まれるのか。

前章を読んだ方ならもうおわかりだと思いますが、テクニウムは必ず低価格化・小型化される本能があり、最終的には民主化されます。大学生が作ったLinuxが世界でもっとも普及したＯＳになったように、無料かつオープンという淘汰圧には大企業は対抗することができません。

35

大規模言語モデルが民主化されるとなにが起きるのか

大規模言語モデルが民主化されると、どうなっていくのか？

画像生成モデルが民主化されたときの流れを見ると、その動きが予想できるでしょう。

２０２２年8月に発表されたStable Diffusionは、それまでMidjourneyや「DALL・E2（ダリ・ツー）」といったクローズドな画像生成ＡＩに比べて、無料かつオープンソースで提供されたという特徴を持っていました。

Stable Diffusionが登場した当初は、画像生成モデルとしてそこまで精度が高かったわけではありません。

しかし、オープンソースかつ無料で公開されたため、多くのハッカーたちがStable Diffusionを解析し、改造し、独自の改良を加えていきました。

当初は8ＧＢ必要だった画像生成モデルが4ＧＢになり、２ＧＢになり、独自のファインチューニングをLoRAのような小さい仕組みで施せるようになり、と進歩していきます。

また、当初Stable Diffusionは日本のアニメ風の画像が苦手とされていましたが、日本のアニメ風のイラストを学習させた「TrinArt（とりんさまアート）」のようなモデルが相次いで発表されます。また、日本の女優などの日本人美女をリアルに表現できないという欠点も、いろいろな人々がさまざまな試みを通じることによって解決していきます。

改良に取り組んだ人々の多くは、商売を目的としない、純粋に画像生成ＡＩを趣味として楽しむ人たちでした。

もはや、商用画像生成サービスは、個人の作った画像生成モデルと勝負するのは難しくなっています。ＡＩを改良する個人ユーザーというのは、究極のパワーユーザーなので、自分たちが欲しいものを作る、という基本に立っています。一方で、ＡＩの開発を専門とする会社は、あくまでも「売れそうなＡＩ」を作ることにエネルギーを注ぎます。その結果、「欲しいもの」を作るホビイストやハッカーたちの方が結果的によいものを作り上げてしまうのです。

大規模言語モデルが民主化されたことで、大規模言語モデルにおいても同じことが起きるでしょう。

つまり、多くのホビイストやハッカーが日に日に改良を重ね、自分たちの欲しいモデルを自分たちで作り上げてしまう時代の到来です。

また、小さなコンピュータで十分ファインチューニングができることがわかれば、会社の情報をクラウドに送信するというリスクを冒さなくても自社内で学習と推論を完結できるようになります。これは多くの企業にとっても福音となるでしょう。

36

AI生成物が人間の創作物の総量を超え、ハルシネーションが知識を汚染する

すでに多くのニュースメディアがAIを業務に取り込もうとしています。普段目にしているニュースが、AIによるなんらかの要約を得たものに変わっていても、ほとんどの人は気づかないでしょう。

ここで注意しなければならないのは、大規模言語モデルにはとくにハルシネーションという問題があることです。

ハルシネーション（幻覚）とは、実際に存在しない刺激や物体を感じることです。これは、視覚、聴覚、嗅覚、味覚、触覚など、あらゆる感覚に対して起こり得ます。

ＡＩにおけるハルシネーションの問題は、ＡＩが現実には存在しない情報やパターンを生成または推測する現象を指します。ＡＩモデルは、大量のデータから学習し、そのデータに基づいて予測や生成を行います。しかし、学習データが不完全であったり、ノイズが多かったりすると、ＡＩは誤った情報や関連性のないパターンを生成する可能性があります。

したがって、ニュースに誤解や勘違いが含まれることや、ニュース以外のコンテンツにも同じように混乱した情報が混入する確率が高まります。

ただ、人間が書いたコンテンツであっても完全に誤解や誤りがないというわけではありません。責任あるメディアがちゃんと原稿をチェックする必要があるのはこれまでと変わりません。過去にも、日本の新聞社の海外向け英語記事がデタラメばかりだったりとか、医療情報サイトに「肩こりは幽霊が原因」など、科学的・医学的に誤った記事が掲載されていたりと、人間が書いているからといって必ずしも正しい情報が載っているとは限りませんでした。

しかし、大規模言語モデルによっていままで以上に誰にでも簡単に長い文章が書けてしまうようになると、ハルシネーションが起きているかどうかを判断するのがどんどん困難になります。

いまはまだ問題が顕在化していませんが、たとえば誰かがWikipediaの記事を大規模言語モデルに書かせた場合、ハルシネーションが混入していても、それが誤りだと人間が理解するのはひじょうに困難になります。そしてWikipediaの記事は誰でも書くことが可能です。

情報の速さと正確さを求められる検索エンジンにとって、ハルシネーションが混入して汚染されたＡＩ生成コンテンツは脅威です。

原理的に言って、ある文章がＡＩによって生成されたものかどうかを自動的に判定することは不可能です。

「こんにちは」という言葉だけを見て、それが誰によって書かれたのかを判別するのが難しいというのは誰にでもわかると思います。

同じように、大規模言語モデルが書いた文章と人間が書いた文章を見分けるのはとても難しいのです。

37 生成ＡＩの法的な問題

ＡＩ生成物について論じるときに避けては通れないのが、法的な問題と倫理的な問題です。

日本では著作権法に特例（著作権法30条４）があり、ＡＩが学習するとき著作権は適用されないことになっています。

しかし、諸外国では著作権法にＡＩの出現が想定されていないため、そこかしこで訴訟が頻発しています。

たとえばStableDiffusionを作ったStability AIには画家などの団体が著作権法違反として裁判を起こしています。Microsoftは傘下のGitHubにアップロードされたプログラムのソースコードを学習したものをGitHub Copilot（ギットハブ コパイロット）としてサービス提供しており、これは著作権侵害であるとプログラマーの団体から訴えられています。

ただ、どの国でも「ＡＩが学習に著作物を使ったからといって、ＡＩ生成物に著作権が遡及すると考えるのは無理がある」と考えられているのが主流のようです。

日本の法曹界ではＡＩ生成物そのものが著作権を侵害することはなくても、パブリシティ権のようなものを侵害する可能性があることが指摘されています。

パブリシティ権という権利は厳密にはないのですが、芸能人や有名なキャラクターにそっくりなＡＩ生成物を作って商売をした場合、それは芸能人やキャラクターの著名性を利用した違法な商売だと指摘される可能性があります。

ただし、これに関しては最高裁判決が出ており、興味のある方は「ピンク・レディー事件」で検索するといいでしょう。

38 倫理的な問題

法律よりも厄介なのが倫理的な問題です。

ＡＩは学習したデータに含まれる偏見によって、元々「バイアス」を持っています。

たとえば、StableDiffusionに「ビジネスパーソン」と入力すると男性の画像が多く生成されるなどのジェンダーバイアスを持っていることがわかっています。

ＡＩになにか積極的な意思があるわけではなく、単純に人間が作り出したデータを見て学習しているだけなのですが、ある個人が言う場合には問題なくても、企業の顔として動作するＡＩが口走ったらまずいことはたくさんあります。

また、それだけでなく人種的な偏見や、そもそも犯罪に関係するサイトなども学習の対象に含まれているケースがあるため、ＡＩが言うべきではない言葉を言わないようにするためのリスク対策とＡＩを適切に利用するための基準となる「ガードレール」のようなシステムも開発されています。

ChatGPTを公開することができたのも、このガードレールのようなシステムをOpenAIが用意できたから、というのが大きいのではないかと思います。

と言うのも、GPT-3をそのまま使うと危険な発言をすることが少なくないからです。

39 データ中心主義（データセントリック）

生成ＡＩが普及することで日に日に重要性を増しているものは、なんと言ってもデータです。

ＡＩから生成されるものがすべてデータに依存する以上、データを無視してはなにも成立しません。

生成ＡＩモデルの成功は、データの質と量に大きく依存しています。データはＡＩを強化する燃料であり、ＡＩがパターンを学習し、予測を行い、新しいコンテンツを生成できるようにします。ＡＩが進化し続けるにつれて、高品質のデータに対する需要が高まり、私たちの生活のさまざまな側面において、よりデータ中心のアプローチが求められるようになります。

データ中心主義（データセントリック）とは、ＡＩの学習に用いるデータを第一優先に考える考え方です。

ＡＩに関する手法は日々進化しており、その時点で一番よい手法を目的に応じて使うのが最良な方法だと考えられています。

しかしデータは、ＡＩを「なにに使いたいか」という目的によって大きく変わります。たとえば議事録をとるＡＩが少し流行しましたが、議事録や日報は会社によってフォーマットが違っていたり、使われる用語が違っていたりして汎用的な議事録が機能することは少ないでしょう。そうしたとき、その会社の過去の議事録をデータとしてＡＩに学習（ファインチューニング）させれば、その会社のフォーマットに即した議事録作成をするＡＩを作ることができます。

ＡＩを作るというと難しく聞こえるかもしれませんが、ＡＩに自社の文章や図面を見せるだけで自社独自のＡＩを作ることができるようになります。

近い将来、どの会社においても、自社のＡＩをどう作り、活用するかが企業活動の根幹を成していくようになるでしょう。

40 表現手段としてのAI

生成AIは、アーティスト、ライター、クリエイターが創造的な視野を広げるためのツールでもあります。AIは、アイデア、ビジュアル、音楽などを生成することにより、人々がより創造的になり、作品を強化し、表現の新しい道を提供します。こうした人間とAIのパートナーシップは、画期的な芸術的成果に繋がるかもしれません。

私たちは生成AIによって言葉、画像、そして動画や音声まで生成できるようになりました。これらを組み合わせた「AIアート」とでも言うべきものが続々と生まれ始めています。

しかし、AIによって生成された作品が普及するにつれて、人間と機械の作成者の境界線が曖昧になり始めています。

実際、私は大規模言語モデルを使ってこの本の下原稿を書き、一部は削除し、一部は加筆しながら本書を仕上げています。

おそらく読者の方には、どこがＡＩの地の文章で、どこが私の手による文章なのかそう簡単にはわからないのではないかと思います。

私はＡＩを使った漫画作品にも取り組んだことがあります。

絵が描けない自分からしてみれば、画像生成ＡＩで絵を描いた漫画は、ＡＩがなければ絶対に作ることのできない作品でした。

ＡＩを使った漫画は、わずか数時間でカラー原稿にして10ページも描くことができます。これは普通の漫画として考えたら破格のスピードです。

こんなふうに、「これまで自分にできなかったことがＡＩの力を借りてできるようになる」ことで、人々はこれまでよりもっと創造的になることができます。

元々創造的な人であったとしても、ＡＩをうまく活用することでもっと創造的なことに時間を使えるようになります。

私の友人の一人で週刊誌に連載を持つ漫画家は、「僕は時間があればもっとたくさん漫画を描きたいんだ」と、生成ＡＩがさらに進化を遂げたら、自分は漫画原作者になりたいのだと語っています。

いまは作画にどうしても時間がかかるけれども、生成ＡＩがあれば作画にかかる時間を節約できる。だから漫画の絵をＡＩにできるだけ任せたい、と言うのです。

週刊誌連載の漫画家になるというのはひじょうに高いハードルがあります。そのハードルを乗り越えて、いやと言うほど漫画を描いて、それでもまだたくさん描きたいというのは、なんともすごい話だなと思うのですが、生粋のクリエイターとは、えてしてそういうものなのかもしれません。


私はＡＩによる創作活動に肯定的な立場です。

ある人はかつてイラストレーターとして活動していたのに、病気でペンを持てなくなってしまいました。しかし、ＡＩによって再び自分の絵を描けるようになったという連絡をいただいたことがあります。

また、あるとき私はとある巨匠のもとに絵の描き方を研究しに行ったことがあります。ところが彼は年老いてしまい、もう自分の手ではうまく線が描けなくなっていました。なにかを描きかけては、思い通りにいかないのでそこでペンを置いてしまうのです。

老いは誰にでも平等に訪れるものですし、自分がいつ病気になるか、事故に遭うかわかりません。

生成ＡＩは、このような状況において人間の能力を補う役に立つのかもしれません。

41

プログラムを書くＡＩ

ChatGPTが登場したときに多くの人が驚いたのは、プログラムが書けるということでした。ChatGPTを初めて使う人は多くの場合、検索エンジンのように知識を確認しようとします。でもそれは間違った使い方です。と言うのも、ChatGPT自体は知識が２０２１年９月の時点で止まっているからです。それ以降は、GPT-3で書かれた「ＡＩによって汚染された」情報が爆発的に出現したため、敢えてそこで止めているのです。GPT-4に関しても同様です。

ＧＰＴの性能が大きく上がったのは、GitHubなどに掲載されているオープンソースのプログラムを学習したからではないかとする説もあります。GItHubのようなバージョン管理システムがすごいのは、誰が、いつ、どのバグを、どんな理由で、どのように直したか、すべて記録されていることです。これはＡＩにとっては最高の教材です。

人間の中級プログラマーがコードを学習するときも、オープンソースのコードを読む、ということをよくやります。

しかし、当然、人間ですからそんなにたくさんのコードを読めません。読めば読むほどコードを書く能力も読み解く能力も上がるとわかっているのですが、それ以上に学んだことを生かして自分でもプログラムを書かなければなりません。

ＧＰＴにプログラムを書かせると、驚くほどそれっぽいコードを書いてくれます。バグもありますが、中級者以上ならすぐに修正できるバグなのでほとんど問題になりません。

プログラムを書くのに慣れてきても、うっかり基本的なことを忘れてしまうことは少なくありません。たとえばテキストファイルを読み込むのは、この言語ではこうだが、あの言語ではどうだったかとか、ましてや歳をとると忘れてきたりもします。

こうしたときにいちいち検索してコードの断片（スニペット）を探してきては、自分で組み合わせるというかなり面倒なことが必要でしたが、ChatGPTを使うと、自分がやりたい処理をやりたい言語で指示するだけでほとんど完全なコードスニペットが出てきます。実際、私はChatGPTを使って自分のＷｅｂサービスの新機能開発を半日で終えてしまったことがあります。ほとんどのコードはChatGPTが出力したものをそのまま使えて、自分でゼロから書いた部分は全体の10％もありませんでした。

これほどに効率的にプログラムが書けるようになったことは、ひじょうに恩恵が大きいと言えます。

ただし、プログラムがわからない人にはChatGPTの出力したプログラムのバグをとることができません。ChatGPTには、２０２３年7月にプログラムを自ら書いて実行するCode Interpreterという機能が追加され、これまで大規模言語モデル単体が苦手としてきた「数字的な整合性のとれた回答」ができるようになってきています。

これからの人類は、ＡＩと意思疎通をするためにプログラムを読み書きできるようになる必要があるでしょう。

ChatGPTの最新版であるGPT-4は複数の専門分野のＡＩを組み合わせたMixture of Expertという手法が使われていると言われています。しかし、GPT-4そのものの推論能力はサービス開始当初に比べると下がってきているという指摘もあります（https://arxiv.org/pdf/2307.09009.pdf）。これは大量のユーザーを捌くために、GPT-4の中の専門分野ＡＩのバランスを調整した結果かもしれません。実際のところ、GPT-4の構造については謎に包まれています。そのため、さまざまな機関が分析・研究を重ねているところです。

Generative AI

第4章

生成AIでビジネスはどう変わるのか

42

生成ＡＩでプロジェクトを管理する

強化学習によるＡＩも、一種の生成ＡＩと言えます。

強化学習ＡＩが生成しているものは、簡単に言えば棋譜《きふ》であり、ボウリングでいえばスコアシートです。

行動を生成するＡＩを作るためには、いくつかの条件があります。

一つは、その行動の原因と結果を数値的にシミュレートできること。たとえば囲碁や将棋のルールは数値的にシミュレーションできます。こうしたゲームのルールはひじょうにシンプルで明確だからです。

しかし、人間関係や恋愛、情熱や感動など、数値化、データ化ができないものが人間社会には数多くあります。そうすると、現実の問題を解決するのに行動生成ＡＩは使えないのでしょうか。

実はそんなことはありません。

たとえば、ある優秀な会社員がいたとして、その人の営業成績と年収、家族構成といったものはデータ化が可能です。実際にこうしたデータは、たとえば回帰分析などでローンの査定に使われていたりします。

ある社員が入社してからどのような経路を辿ったかなども数値的、データ的に追跡することができます。入社前の履歴書や試験、定期的な面談でのやりとりなどをデータ化して、AＩに学習させれば、こんな経歴の社員は将来的にこんなふうに活躍する、というy＝f（x）を見つけることができるかもしれません。

属人的な要素があまりない意思決定は意外とあちらこちらにあって、たとえばソフトウェア開発の見積書と実際の人数配分、開発期間などはすべて数値的にシミュレーション可能です。

ある見積書を入力したら、それを作るのに必要な手順をガントチャートに落とし込むような作業をAＩができるようになる日はそう遠くないでしょう。

とくに、ソフトウェアの場合、GitHubなどでデータがそろっているので管理しやすいのではないかと思います。プログラムを部分的に生成AＩが書いたりデバッグをしたりするなどのことはすでに行われているので、プロジェクト管理全体がＡＩ化するのも時間の問題でしょう。

ソフトウェアだけでなく、こうしたＡＩによる自動的な工程管理は、ほかの産業にもすぐに広がるのではないかと思います。

43

企業の意思決定手段としての生成ＡＩ

生成ＡＩは、意思決定のための判断材料を生成することができます。行動計画を立てたり、経営計画を立てたりすることもできます。

意思決定のためにＡＩを用いることは、今後どんどん、進んでいくでしょう。なぜなら、そうした方がずっと効率がいいからです。

ＡＩは人間が数週間かかる行動計画の策定をわずか数時間で行うことができます。経営のようなことをＡＩがするのは難しいと考えるかもしれませんが、実際の経営というのはもっと直感的に行われています。

私は20年間、ＩＴ企業を経営してきました。10社の設立に関わり、それぞれの会社の統廃合や、合併、Ｍ＆Ａがあったものの、事業はすべて継続しています。

経営判断の現場で、ものをいうのは結局数字です。

会社には、ＢＳ（Balance Sheet：貸借対照表）やＰＬ（Profit and Loss statement：損益計算書）といった財務諸表が必ずあり、会社が儲かっているかどうかは、損益計算書を見ればすぐにわかります。

ただし、数値だけ見ていると、「正しい判断が現場で行われているのか」を経営者が判断するのは実は難しいのです。

たとえば、現場の声に耳を傾けると、誰もが例外なく「人手が足りない」「設備が足りない」と言います。

現場は給料を払う立場ではなくもらう立場なので、人手が多ければ多いほど楽ができます。「いまは足りている」と言う人も、「いずれ足りなくなる」と言います。

ということは、現場にいくら現状を聞いてもその会社の本質的なことは見えてきません。

44 経営者と管理職を助ける生成AI

社員が100人を超えると、経営者から社員が見えにくくなります。

経営者と社員の間に課長、部長、担当役員というのが立ちはだかっていて、それぞれが部下と経営者が直接話すのをできるだけ避けようとします。

現場の不満を告げ口されるかわからないし、仮にその告げ口が間違ったものだったとして、自分たちは別のロジックでちゃんと弁明できるとしても、その弁明に時間を割かれるのが面倒だからです。

ただ、会社の利益が出ていない場合、必ず経営方針に問題があるものです。「計画通りに行ってない」のは、計画が間違っていたからです。

本来は、感情的な情報を排除したはずのPLとBSが、実は「そうしたいという気持ち」から作られていることもあります。つまり、「今期はこれだけ売り上げたい」という願望と、「今期はこれだけの売り上げしか望めないだろう」という現実が乖離しているケースがままあるのです。

私が創業期に、自分一人だけで会社の予実管理（予算と実績の管理）をしていたときは、案件ごとにそれぞれ「確度」をレベル分けし、「話だけ来ているもの」は０・１、「話が進んでいるもの」が０・３、「契約書のやりとりをしているもの」を０・５、「契約されたもの」を０・８、「納品が完了し、請求書が書けるもの」を１・０として金額に乗じることで売り上げ予測をしていました。

これが意外と当たるのです。

経験則的に「話が進んでもポシャる確率は30％」であるとか、「話しか来ていないものが実現する確率は10％」とか、わかっていたんですね。

ただ、人数が増えてくるとこのやり方での予実管理は難しくなってきます。

経営者が感知できない社員間のいざこざや、部署間の対立など、人間の感情と言った一番面倒臭い要素が出てきて、数字だけ見ても管理できなくなってくるのです。

大企業では、この数字の管理は部長の仕事になります。大企業の部長は、予算、人事を自由に使えますが、会社から与えられた目標に対してきちんと予実管理ができなかった場合、役職を外されることがあります。

なぜ企業がそんなことができるかというと、部長級の仕事ができるように、時間をかけて丁寧に育てられた社員をたくさん抱えているからです。

いくら部長を解任しても、部長級の仕事が務まる人はいくらでもいるので枯渇しないのです。なんなら外部から連れてくるということもできます。

45

中小起業こそ生成AI導入のメリットがある

ところが中小企業ではそんな贅沢は言っていられません。部長に予実管理を完全に任せることができることは稀です。もしも選任した部長が予算をまったく守ってくれなくても、ほかに選択肢がありません。だから中小企業の経営者は全部署の部長級の仕事を肩代わりしなくてはならなくなります。

これには例外があって、すでに黒字が出ている部署の場合、部長級の人間に創業社長のように事業を作り出して運営していく能力は求められません。大企業で部長級の人間がたくさんいるというのも、「すでに回ってる仕事をそのまま回す」ことを求められたり、「すでに負けが決まっている仕事の敗戦処理をする」ことを求められたりと、役割が限定されるからです。

中小企業はそんなにたくさんの事業を抱えていないので、「敗戦処理」のためだけの部長を雇っていても、すぐに使い道がなくなってしまいます。

会社経営のリアル、で筆が滑ってしまいましたが、ＡＩに経営を任せたいと考えている経営者はたくさんいると思います。第一に、会社でなにが起きているのか、経営者は実際には把握できないからです。

たとえば全部署でやりとりされているチャットのログを経営者が全部チェックするというのは非現実的です。場合によってはプライバシーの侵害にも当たります。

また、最近はリモートワークが増えて、社内の人間関係すらよくわからなくなっています。誰が誰と仲が悪いとか、そうでなくても会社全体の雰囲気がいいとか悪いとか、そういうことを経営者は会社に行ってなんとなく確かめていたのですが、リモートワークが中心になるとそれもできません。

まあそもそも、会社に行って「なんとなくみんながやる気を持って働いているか」を判断するということ自体が相当アナログというか、非論理的なやり方なので、これが大好き、という経営者はほぼいないと思います。

ＡＩはそういう判断をすべて任せるのにふさわしい素質と能力を持っています。

議事録を要約するために会議にＡＩが参加するのが普通になってくると、ＡＩは議事録をとりながら同時に社内の雰囲気も掴めることになります。

「この会議では全員が活発に意見を言っていた」とか、「この会議では部長しか喋っていなかった」ということが数値化されて見えてきます。

もちろん部長しか喋らない会議もあっていいと思いますが、そうした会議の頻度と部署の成績、とくに営業の進捗や開発の進捗といったことは簡単に数値化して相関関係を見ることができます。

会社のありようは業種や業態によっても違いますが、人がたくさん集まって同じ目的のために働いている、という意味では同じです。

ある会社の傾向を分析し、部署ごと、チームごとに「勝ちパターン」を学習したＡＩの方が、平日から接待ゴルフに出かけている経営者よりも適切な判断ができるのではないかと考えるのはごく当たり前のことです。

ＡＩならば、ＰＬやＢＳに隠された「気合いと本当の意図」に騙されず、「このパターンだと今年も失敗するので抜本的な対策が必要です。具体的には広告宣伝費を削りましょう」とか「出張を減らしましょう」などの対策を示してくれるようになるでしょう。これはただ「人手を増やしたい」と言うだけの部長より遥かにましです。

46 生成AIで変わる人事

人事もＡＩが大きく介入するようになるでしょう。

「この人はこの仕事に向いていません」「この人の給料は安すぎます」「この人はこの現場には不要です」といった判断を人間とは違って冷徹に、正確にやってくれるはずです。

もちろんそれに従うかは人間が決めることですが、ほとんどのことはＡＩの判断が正しいということになるはずです。

採用面接でも人間と一緒にＡＩが同席するか、一次試験の前に会話ＡＩがヒアリングをして、社内のどの部署と話が合いそうか、そもそもこの会社に向いている人材なのかということを判断してくれるでしょう。

人事ＡＩは、社内に欠けている人材のタイプを教えてくれるようにもなるはずです。

また、生成ＡＩは情報を収集し、要約するのが得意なので、いずれどの会社も最低限の情報収集はＡＩにやらせるようになるのではないかと思います。

とくに、得意先の情報や業界に影響を与えそうな情報だけでなく、一見業界とは関係なさそうでも、いずれ影響を与えることが想定されるような事態の予告など、ＡＩが集めた情報が、経営の意思決定に関与できそうなことはたくさんあります。

「〇〇業界が伸びているらしい」といった情報は、普段の経営現場ではなかなか入ってきません。情報収集をするのはほかの経営者との飲み会や、それこそ接待ゴルフの現場などが多いのではないでしょうか。

しかし、実はゴルフに行かなくても「〇〇業界が伸びている」という情報は普通の手段で集められそうなものです。

大企業では、専任のスタッフが経済誌を要約して経営幹部に伝えたり、自社に関係ありそうな情報をクリッピングサービスでまとめて送ってきたりというサービスを使う場合もあります。

しかし経済誌に載る情報は二次情報が大半ですから、ワンテンポ以上遅れて入ってきます。大企業くらいのスピード感ならそれでも機能しますが、スタートアップや中小企業ではほんのわずかな情報の遅れが会社の経営に致命的なダメージを与えることがあります。

とくに重要度の高い情報は、雑誌には決して載らないことがほとんどです。有益な情報ほど独占した方が利益は高いので、普通では教えてくれないわけです。

47 生成AI時代の組織とは

企業の意思決定にＡＩが貢献するのは、まだ序の口です。

本当にＡＩが企業活動で真価を発揮するのは、ＡＩを中心とした組織です。

ビジネスの根幹にＡＩを置いて、それを中心に会社を回していくのです。必要な人員は最小限に留め、アウトソースできることはすべてアウトソースして、ＡＩが本質的な価値を作り出してビジネスを回していく。

これが新しい時代の組織のあり方でしょう。

組織の中心にＡＩがあるという説明は少しわかりにくいかもしれません。

試しにGPT-4に聞いてみました

プロンプト

AIをビジネスのコアにした飲食店を設計してください。

GPT-4の回答

飲食店のビジネスモデルをAIをコアに据えることで、効率化や顧客満足度の向上を実現しましょう。以下の要素を含む飲食店を設計します。

1．コンセプト：

AI飲食店は、未来的でテクノロジーを活用した体験を提供し、顧客の興味と好奇心を刺激することを目指します。

2. AIによるメニュー開発：
AIは既存の食材と料理を分析し、顧客の好みやダイエット制限に合わせて、独自のレシピを生成します。また、季節ごとの食材や地域性に応じた提案も可能です。

3. ロボットによる調理：
キッチンでは、AI搭載のロボットが効率的かつ衛生的に料理を調理します。これにより、人件費の削減や調理スピードの向上が期待できます。

4. オーダー管理システム：
顧客はスマートフォンやタブレットを使って注文します。AIは注文データを分析し、顧客に最適な提案を行います。また、顧客のアレルギーや好みに応じてメニューをカスタマイズできます。

5. AIによる在庫管理：
AIは在庫の管理や発注を行い、食材のロスを最小限に抑えます。また、需要予測を行い、必要な食材や調味料を効率的に管理します。

6. 顧客対応チャットボット：
AI搭載のチャットボットが、顧客の質問に対応します。これにより、スタッフの負担を軽減し、顧客に迅速な対応が可能になります。

7. 店内環境の最適化：
AIは店内の温度、照明、音楽などの環境を最適化し、顧客がリラックスできる空間を提供します。

8. 顧客データ分析とマーケティング戦略：
AIは顧客のデータを分析し、個々の好みや来店頻度をもとに、ターゲットマーケティングや特別なプロモーションを実施します。


確かに、GPT-4の言うことは間違っていないかもしれません。

しかし、私がここで主張したいＡＩ中心主義の組織は違います。

ＡＩ中心主義の組織とは、一言で言えば「企業価値の中心が独自のＡＩにある組織」です。

ＡＩの価値の多寡《たか》はデータセットで決まりますから、言い換えれば、「独自の価値のあるデータセットを学習させたＡＩの価値を最大化する会社」ということになります。

48

AI中心主義の飲食店

独自のデータセットというのは、その組織の価値を決定づけるものならなんでもよいのですが、この章の最後にＡＩ中心主義の飲食店を設計するとしましょう。

ＡＩ中心の飲食店にあるのは独自の価値です。

たとえば、料理のレシピ、接客・接遇の工夫、材料の調達手段の工夫、顧客接点の作り方の工夫、フランチャイズ展開上の工夫、などです。

ＡＩにしかできない、そのお店にしかできない工夫とは、たとえば、顧客一人一人の好みに合わせたコース料理を提供するような工夫を考えることや、仕入れと客単価、顧客満足度を最大化するために完全予約制を導入するなどです。

会話ＡＩが過去の顧客とのやりとりを記録し、料理の提供だけでなく料理の感想や料理や素材に関するウンチクまで説明するとします。

次に予約を入れたとき、顧客の好みがわかっているわけですから、ＡＩは材料の仕入れから工夫を始めます。顧客の好みそうな料理はなにか、その良質な材料を入手するにはどうすればよいか。一流店のシェフがやるのと同じようにインターネットなどで調べます。場合によっては、生産者に電話をかけて情報を集めます。いまのＡＩはそういうことができる機能がそろっています。

生産者と直接やりとりしたＡＩは、総合的に判断してどの客にどんな料理を提供するべきかを考えます。顧客に電話をかけるかメールを送って、直接来訪の目的や一緒に来るゲストの情報を聞くこともあるでしょう。

そうして完璧なメニューを用意して当日を待ちます。

顧客はＡＩが自分たちのためだけに考えたコースメニューに感動するでしょう。

お店を出た後、どれが美味しかったとか、どんなものが好きかといったことも饒舌に話すはずです。


夢みたいなことを言っていると思いますか？

でも、おそらくこういう店は実現できます。

数年前なら完全に夢物語でしたがいまならできるでしょう。

ただし、一つだけ大きな問題があります。


そう。その店が本当に顧客の求める味をどうやって推定するかという部分です。

この問題だけはおそらくＡＩがどれだけ進化してもどうにもなりません。

経験豊富なシェフやグルマンと呼ばれるような人たちが集まって、さまざまな料理の傾向と難易度をまとめる必要があります。ワインとのマリアージュを考えると、ワインのテイスティングメモも必要になるでしょう。もちろん料理人の知識も必要です。あまりに難易度が高い料理を要求されても困ります。

このレストランを作るために必要なものがわかりましたね。つまり、独自のデータセットです。

こんなレストランがいきなり出てくることはないかもしれませんが、生産者と会話したり顧客と会話するＡＩはすぐに作ることはできます。段階的に取り組んでいって、最終的には完全にＡＩ中心主義のレストランというものが作れるでしょう。

Generative AI

第5章

生成AIの可能性

ここまで読み進めてくださった読者のみなさんは、生成ＡＩについて、随分詳しくなったのではないかと思います。

その歴史的背景、原理、そして限界までがなんとなく想像できるようになったのではないでしょうか。

最終章では、生成ＡＩが実際に生活のどのような場面で使われていくか、その未来像を想像して描いてみたいと思います。

49 コミュニケーションと生成AI

日常生活における生成ＡＩの役割は、大きく三つあるでしょう。

その三つとは、コミュニケーション、エンターテインメント、プランニングです。

生成ＡＩによって私たちのコミュニケーションはもっと気楽なものになるでしょう。

たとえば、友人にメッセージを送るとき、あれこれ文面を考えなくても「○○さんと会いたい」と生成AIに指示すれば、勝手にメッセージを作って送ってくれるようになります。

先方も同じようにコミュニケーションのための生成AIが入っていて、本人に確認したあとで、こちらのAIと相談して「じゃあ来週木曜日に新宿でご飯を食べよう」と決めてくれます。

相手に会いたくない場合は、「ちょっと最近忙しくて都合がつかない」「行こうと思ったお店が予約でいっぱいだった」など、本人が傷つかないような形でやんわり断ってくれるようになります。

私はこういうAIを「インターパーソナルAI」と呼んでいます。

1年前にこの話をしたら絵空事《えそらごと》だと思われていたでしょうが、いまなら十分できそうだと想像できますよね？

いますぐこうしたAIがどういうものになるかを試すことも可能です。

誰かをデートに誘いたいとき、ChatGPTで文面を考えることもできるでしょう。

たとえばこんなふうに入力します。

プロンプト

先週パーティで知り合ったA子さんをデートに誘うメッセンジャーの文面を考えてください。A子さんは投資会社に勤めていて共通の話題は映画と音楽でした。A子さんはクラシック音楽が好きだそうです。

それに対して、GPT-4はこう返してきます。

題名：映画とクラシック音楽の夕べにご一緒しませんか？

A子さん、こんにちは！

先週のパーティでお会いできて、とても楽しかったですね。映画と音楽についてたくさんお話ができて、嬉しかったです。とくに、クラシック音楽がお好きというお話を聞いて、私も興味が湧きました。

そこで、もしよろしければ、今度の週末に一緒にデートに行きませんか？　映画を観たあと、おしゃれなカフェでクラシック音楽を聴きながら、もっとお互いのことを知る時間を過ごせたらと思っています。

具体的なプランは以下の通りです。

・土曜日の午後2時に、新宿の映画館で待ち合わせ

・お互いが気になる映画を観る

・映画のあと、近くのカフェでクラシック音楽を聴きながらお茶を楽しむ

・お互いの好きな音楽や映画について語り合い、楽しいひとときを過ごす

もちろん、ご都合が悪ければ別の日程に調整も可能です。このプランに興味がありましたら、お気軽にお返事ください。楽しい時間を一緒に過ごせることを楽しみにしています！

それでは、お返事をお待ちしております。よろしくお願いいたします。

また、反対に、言いづらいことを代わりに言ってくれるようにもできます。たとえば気乗りしない相手からデートに誘われたときなどです。

こんなふうに入力してみます。

プロンプト

先のようなメールをもらったとき、相手を傷つけずに断る返信を考えてください。

題名：Re：映画とクラシック音楽の夕べにご一緒しませんか？

こんにちは！

先日のパーティでお会いできて嬉しかったです。

映画や音楽についてたくさんお話ができたのは楽しかったですね。

特に、クラシック音楽に興味を持っていただけたとのこと、とても嬉しいです。

しかし、申し訳ありませんが、今回の週末のデートには参加できないことになりそうです。

私自身も楽しみにしていたのですが、予定が重なってしまいました。

お誘いいただき、本当にありがとうございます。

別の機会にお会いして、映画や音楽についてもっとお話がしたいですし、共通の趣味を楽しめる機会もあれば嬉しいです。

もし他の日程でのデートの計画があれば、ぜひお知らせください。

また、今後もお付き合いを続けていけたらと思います。

お忙しい中、ご連絡いただきありがとうございました。

どうぞよろしくお願いいたします。


これだと相手はまた誘ってきてしまいますね。

もっとキッパリとした断り方を考えてもらいましょう。

プロンプト

もっとキッパリと断りつつ、仕事ではまだ関係が継続できるように断ってください。

これに対してGPT-4は次のように返してきます。

題名：Re：映画とクラシック音楽の夕べにご一緒しませんか？

こんにちは！

先週のパーティでお会いできて、映画や音楽についてお話しできたのは楽しかったですね。クラシック音楽への興味が共有できて嬉しかったです。

今回のデートプランに関しては、私の立場から考慮し、お断りさせていただくことになりました。プライベートな時間を過ごすことについては、現在の仕事の関係性を考慮すると適切ではないと感じています。

ただ、仕事の場であれば、今後も映画や音楽に関する話題を共有しながら良好な関係を築いていきたいと思っています。また、仕事以外での交流も、より適切なタイミングや状況が整った際には検討させていただければと思います。

お誘いいただいたことに感謝いたしますが、今回はお断りさせていただくことをご理解いただければ幸いです。今後とも仕事の場でのよい関係が続くことを願っております。

それでは、引き続きよろしくお願いいたします。

このくらいキッパリと断った方がよさそうですね。

こんな感じで、ChatGPTの場合は一度文面を考えさせたあとでこちらの要望を聞き取ってアレンジしてくれます。

私も最近は面倒なのでメールはほぼChatGPTでやりとりしています。

一昔前に話題になった「おじさん構文」みたいなメールが来ても、ChatGPTに要約してもらうことができます。

プロンプト

以下のメールに対し、適当にあしらって断ってください。

こんにちは😀
清水チャン💕　元気してた？😅
おじさんは相変わらず元気だヨ👍
最近会社を辞めて暇💦
してるんだけど、
清水チャンとお寿司🍶

行きたいナ
箱根♨
あたりでシッポリと・・・ナンチャッテ💦💦💦

GPT-4の回答

こんにちは☺
ご無沙汰していますね🙌
元気そうで何よりです👍
ただ、最近は本当に忙しくて💦
お寿司や温泉旅行に行く時間がないんだよね😥
あと、ちょっと自分の体調も良くなくて、外出を控えているんだ。
おじさんも自分の体を大切にしてね！
また、タイミングが合ったらお話ししましょうね☺
それでは、また連絡しまーす👋

長年いろいろな人を悩ませていた問題がＡＩで解決されるのかもしれません。

ぜひお試しください。

50 エンターテインメントと生成ＡＩ

エンターテインメントにおける生成ＡＩは、もっと劇的なものです。

おそらく、あなたが欲しいコンテンツをＡＩが自動的に作ってくれるようになります。

「三国志みたいな話がもっと読みたい」と言えば、検索するのではなく「三国志みたいな話」を生成してくれるようになるのです。

「量子力学がわかるような映画が観たい」と言えば、そのような映画を生成してくれるようになります。もちろんそれがおもしろいかどうかはわかりませんが、おそらくあなたの好みにしてくれるでしょう。


実はこれに近いものを作ったことがあります。

本書の執筆前に作った「自動執筆機械」というプログラムです。

このプログラムは、テーマを与えると構成を考えてインターネットからいろんな情報を検索してきてGPT-4で要約し、本文を書いてくれます。

おもしろいのは、このプログラムがあると、毎日自分が読みたい文章が自動的に出てくるということです。

AIによって「学ぶ」ということの価値は大きく変わるはずです。

「AgentGPT」というツールを使うと、似たようなことを手軽に試すことができます。

私は毎朝「シラス」という放送プラットフォームで「モーニングAIニュース」という、AIの情報番組をやっているのですが、しばらくの間、Twitterから勝手に情報収集してきて要約して喋るロボットを作って活用していました。

生成AIはこんなことにも使えるわけです。

日本語にも対応している「AgentGPT」

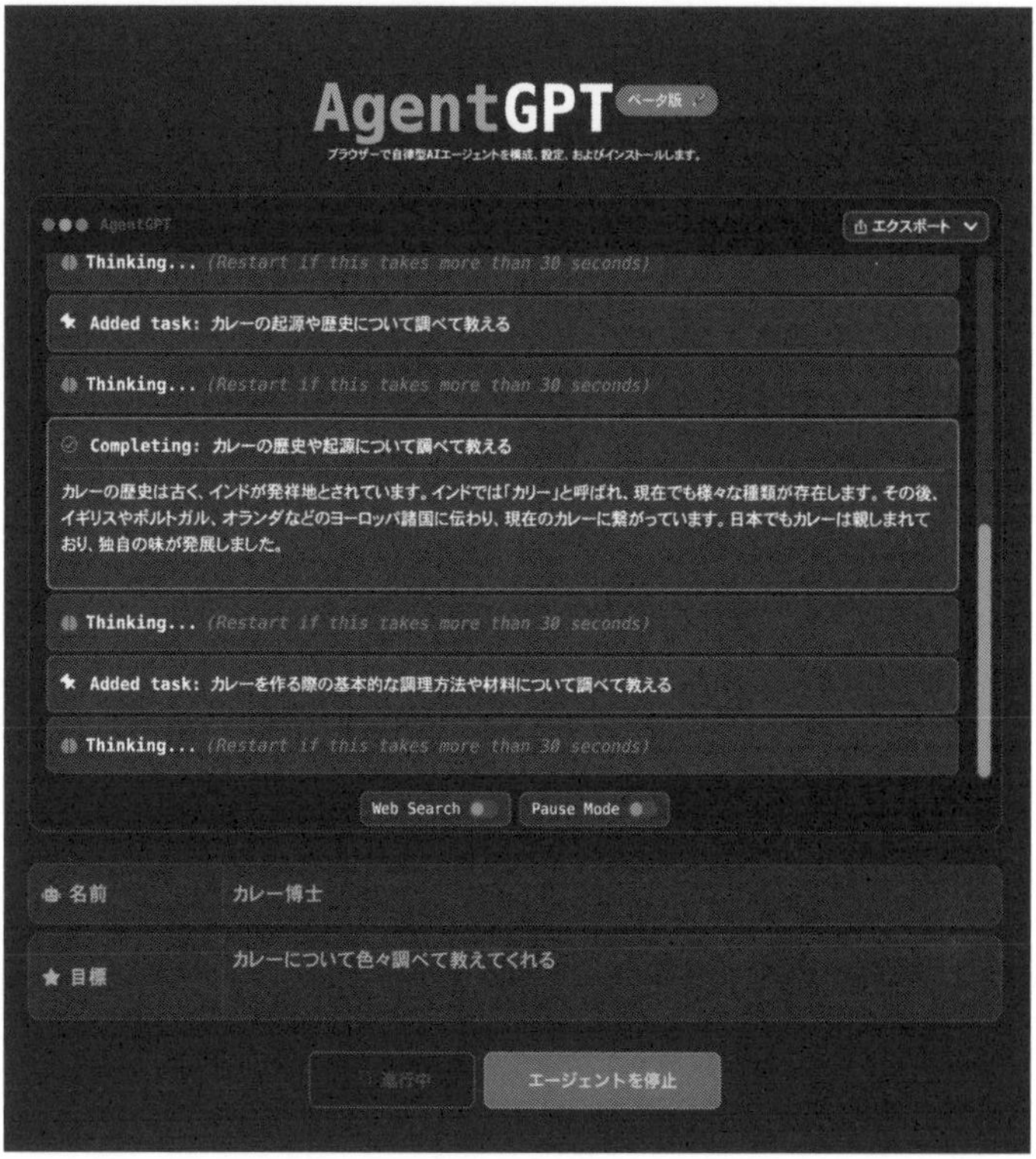

51

プランニングと生成AI

プランニングをするＡＩはもっとシンプルでおもしろいものです。

自分のための映画を作ってくれるのではなく、自分のためのガイドブックを作ってくれます。

週末の過ごし方や、旅行の計画とか、勉強したいことがあれば勉強の計画を練り、必要な教材を取り寄せるか、自動的に生成してくれるようになるでしょう。

ネットを調べればわかることであれば、そこから情報を要約してあなたにわかるように説明してくれます。

その際、あなたの好きな食べ物や苦手なもの、好んで出かける場所や、逆に好ましくない雰囲気などから自動的に遠ざかるような計画を立ててくれます。

簡単な計画なら、ChatGPTでも立てることができます。

こんなプロンプトを試してみてください。

プロンプト

私は人工知能研究者で、大学で授業を受け持っています。週末を楽しく過ごしながら仕事に役立つ情報も得たいと考えています。

どこへ行ってなにを見たらいいでしょうか。

ステップ・バイ・ステップで教えてください。

GPT-4の回答

週末を楽しく過ごしながら仕事に役立つ情報を得るために、以下のようなステップ・バイ・ステップで行動することをおすすめします。

・ステップ1：　興味のあるイベントや展示会を調べる
近くで開催されるAIや技術関連のイベント、展示会、ワークショップ、セミナーを調べてみましょう。これらのイベントに参加することで、楽しみながら最新の研究や技術動向を知ることができます。

・ステップ2：　ネットワーキングイベントに参加する
同じ分野の研究者や専門家と交流することができるネットワーキングイベントに参加し

ましょう。これにより、新しい知識やアイデアを得るだけでなく、人脈を広げることができます。

・ステップ3：　書店や図書館で関連書籍を探す

最新のAI関連の書籍や専門誌を読むことで、知識を広げることができます。書店や図書館で探してみましょう。

・ステップ4：　テーマパークや博物館を訪れる

科学技術やAIに関連するテーマパークや博物館を訪れることで、楽しみながら最新の技術や発展を知ることができます。

・ステップ5：　オンラインコースや講座に参加する

週末にオンラインで開催されるコースや講座に参加することで、新しい知識や技術を学ぶことができます。興味のある分野を見つけて、スキルアップに繋げましょう。

・ステップ6：　余暇を楽しむ

仕事とは関係のない趣味やアクティビティを楽しむことで、リフレッシュしましょう。リラックスすることで、新しいアイデアが浮かぶこともあります。

これらのステップを実行することで、楽しみながら仕事に役立つ情報を得ることができます。週末を有意義に過ごし、仕事の質を向上させましょう。

ChatGPTは基本的にありきたりなことしか言わないことが多いのですが、意外とありきたりなことに意味があったりします。

このように掲示された提案に対し、アレンジを要求してもいいかもしれません。

プロンプト

提案されたような手法はどれもありきたりで新鮮味がありません。意外な要素を加えて新しい発見がしたいと思います。提案を修正してください。

GPT-4の回答

失礼しました。新鮮味のある提案を考え直しましたので、以下に示します。

・ステップ１：ＡＩアート展示会やフェスティバルに参加する

ＡＩを用いたアートや音楽などの展示会やフェスティバルに参加し、ＡＩ技術がどのようにクリエイティブな分野に応用されているかを体験しましょう。異分野との融合から新たな発見が生まれることがあります。

・ステップ2：　エスケープルームに挑戦する

AIや技術をテーマにしたエスケープルームに挑戦しましょう。謎解きを通じて、異なる視点からAIについて考える機会が得られます。

・ステップ3：　スポーツイベントを観戦する

スポーツイベントを観戦して、AIやテクノロジーがどのようにスポーツ業界に導入されているかを見てみましょう。たとえば、自動判定システムや選手のパフォーマンス分析など、新しい視点でAI技術を理解することができます。

・ステップ4：　ネイチャーツアーに参加する

自然環境での散策を通じて、生物の行動や生態系からインスピレーションを得ましょう。自然界の知恵をAI研究に応用することで、新たな発見が生まれる可能性があります。

・ステップ5：　ゲームジャムに参加する

AIを活用したゲーム開発に関するゲームジャムに参加して、ほかの開発者や研究者と協力して新しいゲームを作成しましょう。異なるスキルセットを持つ人々と共同作業することで、新たな発見やアイデアが生まれることがあります。

・ステップ６：　禅寺や瞑想センターで瞑想する
瞑想を通じて心を静め、深い思考や省察の時間を持ちましょう。瞑想を通じて、新しい発見やアイデアが生まれることがあります。
これらの新鮮なアイデアを試して、意外な要素を取り入れながら新しい発見をしていただければと思います。

52 仕事と生成ＡＩ

生成ＡＩは仕事にも使えるでしょうか？
まず考えつくのは、企画を立てるときにChatGPTを使ってみるというものです。

プロンプト
ビジネスマン向けに画期的な生成ＡＩの使い方を紹介する本の企画を考えてください。

GPT-4の回答

タイトル：「未来のビジネスマンのための生成AI活用ガイド」

本書の概要：

この本では、ビジネスマンが画期的な生成AIを効果的に活用する方法を解説します。生成AIの基本概念から応用まで、具体的な事例を交えて紹介することで、ビジネスマンがそのポテンシャルを最大限に引き出すことができるようになります。

主な章立て：

・第1章：生成AIの基本概念

生成AIとはなにか

GPT-4をはじめとする主要な生成AI技術

生成AIの仕組みと進化

・第2章：生成AIを活用したコミュニケーションの向上

自動返信メールの作成

顧客対応のチャットボット機能

説得力のあるプレゼンテーションの作成

・第３章：生成ＡＩを活用した情報収集と分析
ビジネスニュースの要約と抽出
業界のトレンド分析
競合企業の戦略分析
・第４章：生成ＡＩを活用したマーケティング
効果的な広告コピーの作成
ソーシャルメディア戦略の最適化
ターゲット市場の調査と分析
・第５章：生成ＡＩを活用したイノベーション
新製品開発のアイデア創出
ビジネスモデルの革新
効率的なプロジェクト管理
・第６章：生成ＡＩと倫理的配慮
データプライバシーとセキュリティ
人間とＡＩの関係

AIの偏りとその対策
・第7章：生成AIの将来展望
生成AIの技術的進歩
ビジネスへのさらなる活用
社会へのインパクト
本書を読むことで、ビジネスマンは生成AIを効果的に活用し、コミュニケーション、情報収集・分析、マーケティング、イノベーションなどのさまざまな業務において優位性を築くことができます。また、生成AIの倫理的配慮や将来展望についても考慮しました。

なかなかよさそうな構成ですが、具体的な内容が書かれていないのでこのまま使うのは難しそうです。
このなかにもアイデアが出ているように、キャッチコピーを生成することもできます。
たとえばこんな感じで指示します。

プロンプト

本書のキャッチコピーを20字以内で20個考えてください。

GPT-4の回答

・AIで未来を切り拓くビジネス戦略
・生成AIで業界をリードせよ
・AI活用で次世代ビジネスへ
・生成AIで業績飛躍のチャンス
・AIパワーでビジネス革新
・生成AIとともに成功をつかめ
・人工知能で仕事が変わる
・AI活用でビジネススキルアップ
・生成AIでビジネス無敵化
・未来を先取りする生成AI活用術
・生成AIで結果を出す力
・画期的AIでビジネスを加速

・ＡＩ革命で業務効率アップ
・生成ＡＩで圧倒的な競争力
・ビジネスマンのＡＩ必携ガイド
・生成ＡＩで成功への道を開け
・ＡＩパワーで業務効率化
・ビジネスの未来は生成ＡＩが創る
・ＡＩ時代の勝者になる方法
・生成ＡＩで変わるビジネス世界

並のキャッチコピーであればこれで十分かもしれません。

実際、私のもとに広告業界の業界誌が取材に来たとき、彼らが一番心配していたのは「コピーライターの仕事がなくなるのでは」ということでした。

これは半分正解で半分不正解と言えます。

というのも、広告代理店におけるコピーライターは、ＡＩが出してくるようなコピーなんかとっくの昔に考えついているからです。

彼らはもっと高度なことを考えていて、表層だけ真似しても絶対に超一流のコピーライターの考えるようなコピーは作れません。
コピーライターは、まず相手の会社のことをじっくりとヒアリングし、新製品のネーミングからキャッチコピー、詩のような文面まで考え出します。
清涼飲料水の企画で試してみましょう。

プロンプト

それまで蒸留酒の製造販売と醸造酒の輸入販売をメインとしてきた会社が、新たに清涼飲料水市場に参入しようとしています。その商品コンセプトとなるキーワードを5個挙げてください。

GPT-4の回答

・健康志向
消費者の健康に配慮した成分や機能性を備えた商品を開発することで、健康を意識した消費者にアピールします。

・サステナビリティ
環境に優しい製法やリサイクル可能なパッケージを使用することで、エコ意識の高い消費者に訴求します。
・地域性
地元の水源や素材を活用し、地域の特色やストーリーを商品に取り入れることで、消費者の地域愛を喚起します。
・プレミアム感
高品質な素材や独自の製法を用い、ほかの清涼飲料水と差別化を図り、消費者に高級感を提供します。
・イノベーション
新しい技術やアイデアを取り入れた商品開発を行い、消費者の関心を引く独創的な商品を展開します。

なかなかそれっぽいものが出てきました。
これをよしとするかアレンジするかはあなたしだいですが、今回はこのコンセプトで、富士山の麓の工場で製造するという地域性を加えてみることにします。

プロンプト

そのコンセプトを踏まえ、富士山の麓にある工場で製造しようと思います。富士山の麓という地域性を生かした清涼飲料水のキャッチコピーを20個考えてください。

GPT-4の回答

・富士山の恵み、そのままの味わい
・天然水のプレミアム、富士山麓から
・日本の象徴、富士山の清らかな水
・富士山の麓から届く、最高の一滴
・大自然が育んだ、富士山麓の逸品
・美しい富士山から注がれる清涼感
・富士山が生む、健康と美の源
・清らかな富士山の水が、あなたを蘇らせる

・聖域・富士山の恵みを味わう
・究極の天然水、富士山の麓から
・富士山とともに、美と健康を追求
・富士山が贈る、自然の恵みを一口に
・清々しさそのもの、富士山麓の天然水
・絶品の味、富士山麓の清らかな水
・伝説の清涼飲料水、富士山が生み出す極上の一滴
・富士山麓が育む、贅沢な水のハーモニー
・日本一の絶景から、日本一の清涼飲料水へ
・天然のアート、富士山麓の清涼飲料水
・富士山のパワーを感じる、清涼飲料水
・厳選された富士山の水源から、贈る至福の味

とっ散らかってきたのでまとめましょう。

プロンプト

それらのコンセプトを一言で表現してください。

GPT-4の回答

富士山麓の清涼飲料水は、「自然の恵みとプレミアムな味わい」がコンセプトです。

なにがプレミアムなのかよくわからないので明確化してみます。

プロンプト

そのプレミアムな味わいは、具体的にはなにに由来するものですか？

GPT-4の回答

プレミアムな味わいは、以下の要素に由来しています。

・高品質な水源
富士山麓の天然水は、雪解け水や雨水が長年かけて富士山の溶岩層を通過することで、ミネラルを豊富に含みつつ、不純物が自然にろ過された清らかな水になります。
・独自の製法
富士山麓の清涼飲料水は、徹底した品質管理のもと、独自の製法や技術を用いて丁寧に製造されます。これにより、天然水の美味しさや機能性が最大限に引き出されます。
・地域性の活用
富士山麓の特徴やストーリーが商品に取り入れられることで、消費者は富士山の自然や歴史を感じることができ、その深い味わいを楽しむことができます。
これらの要素が組み合わさることで、富士山麓の清涼飲料水はプレミアムな味わいを提供しています。

うーん。ありきたりですね。捻りを加えてみましょう。

プロンプト

その特徴はありきたりです。もっと大胆な捻りの効いた方法でプレミアム感を演出する方法を5つ考えてください。

GPT-4の回答

・高度な技術を活用した水の構造変化

ナノテクノロジーや特殊な電磁波を利用して、水の分子構造を変化させ、口当たりや吸収性が向上するプレミアムな清涼飲料水を開発します。

・エイジング処理

特別な環境下で長期間熟成させることで、水の味わいが深まり、風味が豊かになるプレミアムな清涼飲料水を提供します。たとえば、富士山の洞窟や樽での熟成などが考えられます。

・コラボレーション

著名なアーティストやデザイナーとコラボレーションし、限定版のパッケージデザインや成分配合で、ほかとは違ったプレミアム感を演出する清涼飲料水を開発します。

・高級食材との融合

高級食材（例：トリュフ、金箔）や希少なエキスを微量配合し、味や香りに独特のプレミアム感を付与する清涼飲料水を提案します。

・限定生産とシリアルナンバー
数量限定で生産し、各ボトルにシリアルナンバーを刻印することで、希少性とコレクタブル性を高め、プレミアム感を演出する清涼飲料水を展開します。

これらの大胆なアイデアを取り入れることで、ほかとは一線を画すプレミアム感を演出する清涼飲料水を開発することができます。


なかなかよくなってきました。

このように、生成ＡＩをうまく壁打ち役として使うことで、一人でどんどんブレインストーミングをすることができるようになります。

ひと昔前まで、ブレインストーミングというと、会議室に何人も集まり、何時間もアイデアを出し合うというたいへんなものでした。しかも、ブレインストーミングをしても、必ずいいアイデアが出てくるわけではありません。

しかし、生成ＡＩを活用したブレインストーミングならば、誰かが言いそうなありきたりなことはＡＩが言ってくれるので「ここに出ていない視点はないか」と探し続けることができます。これは生成ＡＩを使う上で大きなアドバンテージとなるでしょう。

ところで、世のなかには本当に数万円という「超プレミアム」なミネラルウォーターが存在します。中身はただの水です。器がものすごく凝っていてゴージャスなのです。

なぜ、こうした商品が成立するのかというと、キャバクラやホストクラブなどで売れに売れているのだというのです。というのも、高級クラブやラウンジでは、派手にお金を使いたいお客さんがいます。お店に通い詰めるお客さんは、なんとか自分の推しをナンバーワンにしたい、と頑張るのですが、高いお酒を入れても、キャストやホストの体力的にお酒を飲み続けるのはつらいことがあるのだそうです。

そんなとき、高級シャンパン並みの値段のお水をプレゼントすることで、「自分はただお金を使っているのではなく、あなたの身体に気を遣ってあげているんだ」とアピールすることができるのだというのです。

世のなかにはいろいろな商売があるものですね。

ちなみに私はそんなお水を飲んだことはありません。

53

新しい働き方と生成AI

コロナ禍によってリモートワークが一気に普及した感がありますが、「やはり会社に戻ってきて欲しい」という会社と、「リモートのままでいい」という会社に分かれているそうです。

仕事のやり方にもよると思いますが、私はリモート賛成派です。

リモートがメインになると、いままでいかに多くの時間を移動に使っていたかということに気づき、ばかばかしくなってしまいました。

リモートワークで仕事の効率を上げ、その分、社員の労働時間と人数を少なくした方が効率的です。

リモートワークにおける生成AIは、たとえば会議中のリアルタイム翻訳などで威力を発揮します。

私は外国の方とミーティングをするとき、必ず手元のマシンで自動翻訳アプリを走らせながら会話します。

ChatPDFに投げ込む質問文

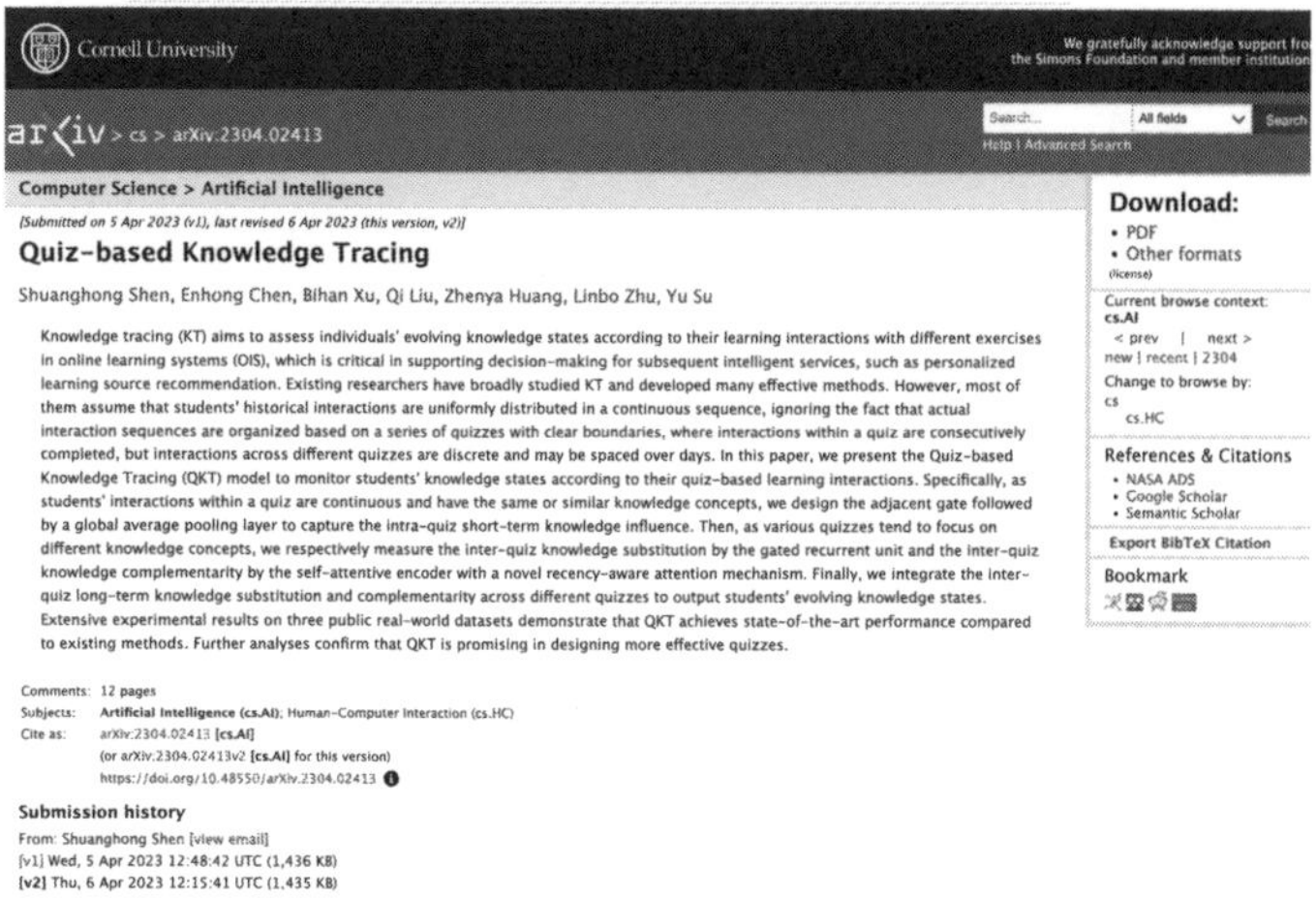

Cornell University

We gratefully acknowledge support from the Simons Foundation and member institutions

arXiv > cs > arXiv:2304.02413

Search... All fields Search

Help | Advanced Search

Computer Science > Artificial Intelligence

[Submitted on 5 Apr 2023 (v1), last revised 6 Apr 2023 (this version, v2)]

Quiz-based Knowledge Tracing

Shuanghong Shen, Enhong Chen, Bihan Xu, Qi Liu, Zhenya Huang, Linbo Zhu, Yu Su

Knowledge tracing (KT) aims to assess individuals' evolving knowledge states according to their learning interactions with different exercises in online learning systems (OIS), which is critical in supporting decision-making for subsequent intelligent services, such as personalized learning source recommendation. Existing researchers have broadly studied KT and developed many effective methods. However, most of them assume that students' historical interactions are uniformly distributed in a continuous sequence, ignoring the fact that actual interaction sequences are organized based on a series of quizzes with clear boundaries, where interactions within a quiz are consecutively completed, but interactions across different quizzes are discrete and may be spaced over days. In this paper, we present the Quiz-based Knowledge Tracing (QKT) model to monitor students' knowledge states according to their quiz-based learning interactions. Specifically, as students' interactions within a quiz are continuous and have the same or similar knowledge concepts, we design the adjacent gate followed by a global average pooling layer to capture the intra-quiz short-term knowledge influence. Then, as various quizzes tend to focus on different knowledge concepts, we respectively measure the inter-quiz knowledge substitution by the gated recurrent unit and the inter-quiz knowledge complementarity by the self-attentive encoder with a novel recency-aware attention mechanism. Finally, we integrate the inter-quiz long-term knowledge substitution and complementarity across different quizzes to output students' evolving knowledge states. Extensive experimental results on three public real-world datasets demonstrate that QKT achieves state-of-the-art performance compared to existing methods. Further analyses confirm that QKT is promising in designing more effective quizzes.

Comments: 12 pages
Subjects: **Artificial Intelligence (cs.AI)**; Human-Computer Interaction (cs.HC)
Cite as: arXiv:2304.02413 **[cs.AI]**
(or arXiv:2304.02413v2 **[cs.AI]** for this version)
https://doi.org/10.48550/arXiv.2304.02413

Submission history

From: Shuanghong Shen [view email]
[v1] Wed, 5 Apr 2023 12:48:42 UTC (1,436 KB)
[v2] Thu, 6 Apr 2023 12:15:41 UTC (1,435 KB)

Download:
- PDF
- Other formats

(license)

Current browse context:
cs.AI
< prev | next >
new | recent | 2304
Change to browse by:
cs
cs.HC

References & Citations
- NASA ADS
- Google Scholar
- Semantic Scholar

Export BibTeX Citation

Bookmark

読み込ませた論文に対するChatPDFの回答

https://www.chatpdf.com

自分が聞き取る英語と、機械が聞き取る英語、どちらがより正確かは明らかですし、自分が質問をしたくなった際も、手元で翻訳して返した方が効果的です。

海外の会社とミーティングをするとしましょう。

手元には彼らが英語で発表したプレスリリースや論文があるとします。

それをChatPDF（チャットピーディーエフ）に投げ込んでおいてから質問文を作ってもらいます。

たとえばこの「クイズベースの知識追跡」という手法についての論文についてやってみましょう。図のように、これをChatPDFに読み込ませます。

国際会議だと、質問文そのものを考えるのが意外と面倒だったりします。

そこで、ChatPDFにこう聞きます。

プロンプト

このＰＤＦに対する質問を英文で5個考えてください。

すると、次のような回答が出て来ます。

ChatPDFの回答

Sure, here are five questions you can ask about this PDF:

-What is the main goal of knowledge tracing in online learning systems, and why is it important?
-How does the Quiz-based Knowledge Tracing (QKT) method differ from existing approaches to knowledge tracing?
-What specific features of student interactions with quizzes does QKT take into account when tracking their knowledge states?
-What types of datasets were used to evaluate the effectiveness of QKT, and how did it perform compared to existing methods?
-Can this paper provide specific examples of the types of quizzes that can be used for knowledge tracing in online learning systems?

念のため、日本語でもなにを聞いているのか押さえておきます。

プロンプト

これを日本語に翻訳してください。

ChatPDFの回答

はい、ここにこのPDFに関する5個の質問があります：

・オンライン学習システムにおける知識トレーシングの主な目的はなんであり、なぜ重要なのですか？

・クイズベースの知識トレーシング（QKT）手法は、既存の知識トレーシング手法とどう異なるのですか？

・QKTが学生の知識状態を追跡する際に考慮する特定のクイズとの相互作用の特徴はなんですか？

・QKTの効果を評価するために使用されたデータセットの種類はなんであり、既存手法と比較してどうでしたか？
・この論文では、オンライン学習システムにおける知識トレーシングに使用できるクイズの具体的な例を提供していますか？

実際の会議のときには、Ｗｅｂブラウザで動く自動翻訳ツールを使います。

このツールでは日本語で喋って字幕を自動的に表示することもでき、使い方はさまざまです。

昨今、画像生成ＡＩを仕事にフル活用されている人も多いのではないでしょうか。

私の場合、ブログの挿絵や動画配信やイベントのサムネイル画像は、ほぼ生成ＡＩで作るようになりました。

便利なのは、自分の姿をあらかじめ学習させておくと、すべてそれっぽいものとして表示できるところです。

私が個人的に開発した「Memeplex（ミームプレックス）」というＷｅｂサービスでは、

自動翻訳ツールの例

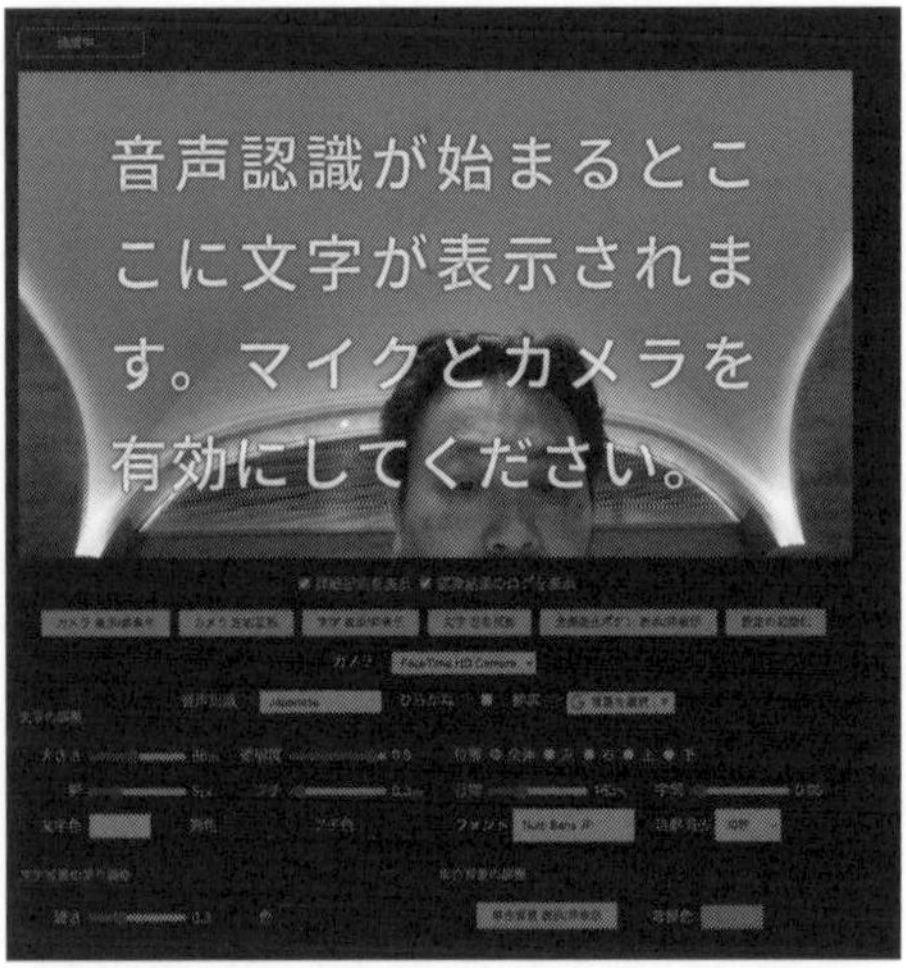
音声認識が始まるとここに文字が表示されます。マイクとカメラを有効にしてください。

https://1heisuzuki.github.io/speech-to-text-webcam-overlay/

「カスタムモデル」機能を使って自分や自社のキャラクター、製品などを学習させ、それを呼び出して使うことができます。

たとえば、私自身を学習させたＡＩに「shi3z guyが一生懸命原稿を書いてる」という指示を与えると、程なくして左ページ下のような画像が出てきます。

「原稿を書く」のほとんどが、原稿用紙に文章を書いているイメージなのはおもしろいですね。私は原稿用紙などもう何年も手にしていません。

ただ、百聞は一見に如かず、とも言うように、画像というイメージで伝えるのは結構大切なのです。

著者が開発した「Memeplex」

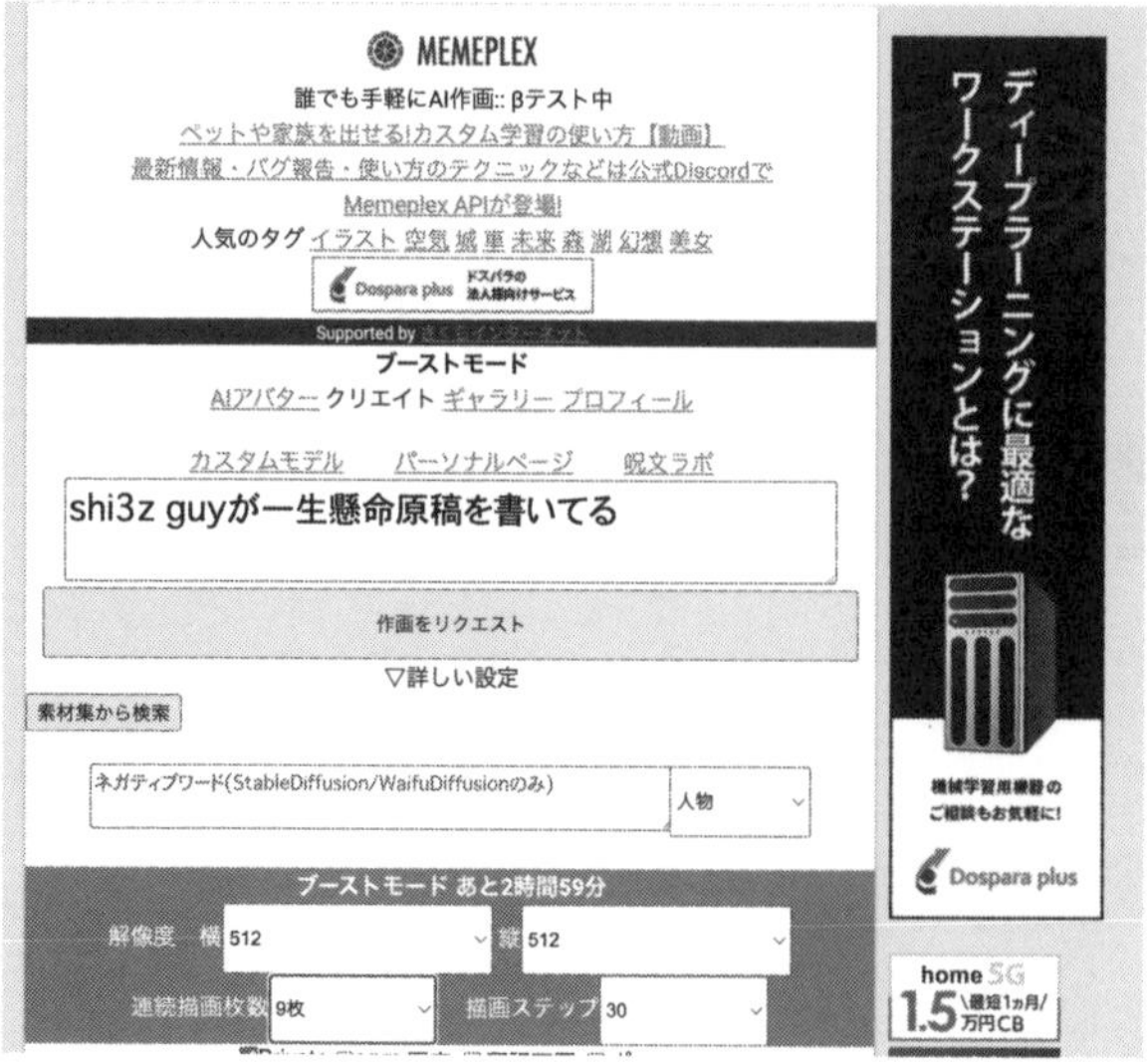

https://memeplex.app

それは仕事でも例外ではありません。

生成ＡＩをうまく使えば、仕事がとても速くなります。

実際、私は最近、企画書を書くときは必ず生成ＡＩを使うようになりました。

自分の企画について、深掘りに付き合ってくれ、別の視点からのアイデアを出してくれ、そして企画書のどうでもいいところも代わりに書いてくれる、おまけに24時間いつでもどこでも付き合ってくれる。それが生成ＡＩという無二のパートナーです。

生成ＡＩは、近い将来、仕事のあり方そのものも大きく変えてくれるかもしれません。


私は会社をやめてギグワーカーになりました。

ギグワーカーというのは、要は会社に所属せず、プロジェクト単位で仕事に入ってアドホック（その場限りの）な関係のチームで働き、プロジェクトが終わったら解散するような仕事の仕方です。

私が会社経営者を辞めてUber Eats（ウーバーイーツ）配達員になったと言ったときは周囲の人の多くが驚きました。

しかし、私にとっては、Uber Eats配達員は、それまでの自分のいた世界と比べてあまりにも働きやすい世界だったのです。

Uber Eatsの配達は、まさにギグワーキングです。

読者のみなさんはUber Eats配達員というと、ファストフード店の前で暇そうにスマホをいじっている人をイメージするかもしれません。

けれども、私から見ればあれは素人です。

私の想像ではUber EatsのＡＩは、配達員の移動速度を見ています。

一箇所で止まっていると、その配達員は休憩しているのかもしれない、とＡＩは考えます。

動いている方が配達の依頼は拾いやすいのです。

Uber Eatsにおけるプロジェクトとは、お客さんから注文が入った瞬間に始まります。

まず、その料理を作り、配達人を手配し、料理を配達人に手渡し、配達人が顧客の元に運び、手渡す（または置き配する）というプロセスを踏みます。

これは最小規模のマイクロプロジェクトと言えます。

注文が来た瞬間、料理人、配達員、そしてUber Eatsは一つのアドホックなプロジェクトチームを組んだことになります。

Uber Eatsの場合は、配達員一人一人にオファーが届きます。

つまり、ある配達ミッションのオファーが来るのは同時に一人だけなのです。

配達員は自分がそのオファーを受けると決めれば、チームに加わります。

配達員がアサインされると、Uber Eatsシステムはレストランに注文を出します。

レストランに辿り着くと、それぞれのミッションに紐づけられた16進数による数字でどの荷物をどの配達員が受け取るべきかが決まります。

混雑しているときなどはレストラン側から配達員に「いま混雑しているので5分遅れそうです。お客さまに伝えてください」などと指示が出されることもあります。そのときはただ待つのではなく、顧客に連絡を入れます。

料理を受け取ったら、配達です。料理を手渡されるとき、ほぼ必ず「お願いします」と言われます。これがなんとも気持ちいいのです。ＩＴ企業の経営者だけをやっていたときには決して得られなかった、不思議な幸福感があります。そう。配達員はミッション達成を「命令」されるのではなく、「お願い」されるのです。レストランは配達員の雇い主ではなく、同じミッションを達成するためにチームアップした対等な立場の「仲間」です。

配達員なくしてはレストランは料理を作ることができず、顧客はお腹を空かせたままなのです。

配達する前に顧客に「いまから向かいます」などの連絡をマメに入れる配達員もいます。そして顧客の元に辿り着いたら、料理を渡してミッション完了です。

このシステムがすごいのは、誰かが誰かを雇うということがないところです。

顧客はUber Eatsを含めたプロジェクト（ミッション）全体にお金を出し、Uber Eatsは配達員をアサインしてレストランに連絡し、配達員はレストランから商品を委託されて運ぶだけです。そして顧客に料理を渡したときに、「ありがとう」と言われることも少なくありません。

これもまた、私がＩＴ企業にいた時代には絶対に聞けなかった、本当に心からの感謝の気持ちです。それはそうでしょう。お腹が空いている状態で、食べたいと思ったものが届いたわけですから。仮にそれが美味しくなかったとしても、それは配達員とは関係ないのです。配達員はチームの一員ではあっても料理の品質を保証する能力はありません。だから、ただ運んでくれた、という純粋な行為に対する感謝なのです。

料理の宅配というテーマを、Uber Eatsは注文、配達員のアサイン、調理、配達、支払いというプロセスに分解し、行動生成AIと組み合わせてそれまで存在しなかった市場を出現させました。

それまで出前をしてくれるお店はありましたし、出前を注文するシステムもありました。しかし、出前をしてくれるお店は大手チェーン店ばかり……でなくなったのは、明らかにUberEatsのおかげでしょう。それまでわざわざ外に食べに出かけるしかなかった個人店の料理が手軽に自宅で楽しめるようになったことで、顧客は時間を節約し、自分の仕事に専念できます。

UberEatsのように、チームを自動的に作ったり、調理・配達計画を作り出したりするシステムは行動生成をしていると言えます。

ギグワークはまだ発展途上ですが、行動生成AIが進歩していくことで、きっとより効率的で効果的なものに進歩していくことでしょう。

54 教育と生成AI

生成ＡＩを使った教育は是か否か、という議論をそこかしこで見かけるようになりました。私は生成ＡＩ推進派ですから当然、是と思っています。

まず、子どもの教育について。

子どもの教育にＡＩを使うことはひじょうに重要になってくるでしょう。

私は10年ほど前に、「秋葉原プログラミング教室」という小中高生向けのプログラミングの教室を開講しました。いまは経営から退きましたが、現在も運営は継続されています。

２０１２年ごろにプログラミング教育を義務教育にする政策提言をしたことがあり、その責任も少し感じていて、子どもにプログラミングを教えるとはどういうことか、そしてまた、子どもがプログラミングをできるようになるとはどういうことかという意味を考えるため、「秋葉原プログラミング教室」とほぼ同時期に「全国小中学生プログラミング大会（ＪＪＰＣ）」というコンテストも企画しました。２０２２年には「第１回全国高等学校プログラミング大会」も開催しています。

プログラミングとは、知恵を合わせるもっとも強力な方法です。このことについては第2章でも扱いました。

誰かが考えたきわめて高度な理論がどれだけ複雑であっても、それがプログラム化されていれば、ダウンロードして誰でも使うことができます。プログラムの場合それがGitHubのようなコミュニティにあったわけですが、ＡＩの場合はHugging Faceのようなコミュニティにあるというわけです。

プログラムはエイダ・ラブレスが指摘したように、「手順を説明可能ならばどんな処理も」可能にするものですが、ＡＩは「手順が説明できなくても、因果関係を再現する」ことを可能にするものです。

プログラミングとＡＩは一見すると真逆の性質を持っていますが、プログラミングとＡＩを組み合わせるととてつもないパワーを発揮することもわかっています。

子どもたちがプログラミングを学ぶ意味は、ＡＩを誰よりもうまく使いこなすためでもあります。

子どもたちと話をしていると、どんな子でもいろいろな疑問をぶつけてきます。大人は子どもの質問攻めに参ってしまうこともしばしばです。ですがこれは、貴重な学びの機会を周囲の大人が摘んでしまっているということでもあります。

たとえば、大人でも説明が難しい疑問の一つが、「月はどうして地球に落ちてこないのか」です。

こういう素朴な疑問は、ChatGPTに投げると効果的に答えてくれます。

プロンプト

なぜ月は地球に落ちてこないのか？

GPT-4の回答

月が地球に落ちてこない理由は、重力と遠心力のバランスがとれているからです。地球は月に対して重力を及ぼしており、この重力が月を地球に向かって引っ張ります。しかし、月も地球の周りを一定の速度で公転しています。

この公転運動によって、月は遠心力を受けています。遠心力は、回転運動をしている物体に働く力で、物体を回転軸から遠ざける方向に働きます。月の場合、遠心力は地球から離れる方向に働いています。

月が地球に落ちてこないのは、この重力と遠心力が釣り合っているからです。重力が働くことで月が地球に向かって引き寄せられ、一方で遠心力が働くことで月が地球から遠ざかる力が働いています。この二つの力がバランスしているため、月は地球に落ちずに、安定した軌道で地球の周りを公転し続けることができます。

プログラミングを学んだ子どもであれば、プログラムを示してもらってより深く理由を知ることができます。

プロンプト

これをJavaScript（ジャバスクリプト）のプログラムで説明してください。

GPT-4の回答

JavaScriptのプログラムを使って、月が地球に落ちない理由をシミュレーションすることはできます。以下に例を示します。

```
class CelestialBody {
  constructor (mass, position, velocity) {
    this.mass = mass;
    this.position = position;
    this.velocity = velocity;
  }
}

const G = 6.67430e-11; // 万有引力定数 (m^3 kg^-1 s^-2)

function calculateGravitationalForce (body1, body2) {
```

```
  const distanceVector = {
    x: body2.position.x - body1.position.x,
    y: body2.position.y - body1.position.y
  };
  const distance = Math.sqrt （distanceVector.x ** 2 + distanceVector.y ** 2）;
  const forceMagnitude = G * body1.mass * body2.mass / distance ** 2;
  const force = {
    x: forceMagnitude * distanceVector.x / distance,
    y: forceMagnitude * distanceVector.y / distance
  };
  return force;
}

function updatePositionAndVelocity （body, force, deltaTime） {
  const acceleration = {
```

```
    x: force.x / body.mass,
    y: force.y / body.mass
  };
  body.velocity.x += acceleration.x * deltaTime;
  body.velocity.y += acceleration.y * deltaTime;
  body.position.x += body.velocity.x * deltaTime;
  body.position.y += body.velocity.y * deltaTime;
}

// 地球と月を作成
const earth = new CelestialBody（
  5.972e24, // mass（kg）
  { x: 0, y: 0 }, // position（m）
  { x: 0, y: 0 }  // velocity（m/s）
）;
```

```
const moon = new CelestialBody（
  7.342e22, // mass（kg）
  { x: 384400000, y: 0 }, // position（m）
  { x: 0, y: 1022 }      // velocity（m/s）
）;

const deltaTime = 1000; // 1秒ごとにシミュレーションを更新

setInterval（() => {
  const earthMoonForce = calculateGravitationalForce（earth, moon）;
  updatePositionAndVelocity（earth, earthMoonForce, deltaTime）;
  updatePositionAndVelocity（moon, { x: -earthMoonForce.x, y: -earthMoonForce.y },
deltaTime）;

  console.log（`Moon position:（${moon.position.x.toFixed（2）}, ${moon.position.
```

```
y.toFixed（2）})`）;
}, deltaTime）;
```

このプログラムは、地球と月のシミュレーションを作成し、それらの間に働く重力を計算して位置と速度を更新しています。

シミュレーションは1秒ごとに更新され、月の位置がコンソールに出力されます。このシミュレーションを実行すると、月が地球に落ちずに公転していることが確認できます。

GPT-4のプログラムは実際に実行できることが多いのです。
実際に実行するとこんな結果が返ってきました。

```
VM38:55 Moon position:（384343353. 17, 6131748.98）
VM38:55 Moon position:（384324471. 24, 7153598.37）
VM38:55 Moon position:（384302892. 16, 8175397.56）
VM38:55 Moon position:（384278616. 05, 9197139.37）
```

```
VM38:55 Moon position: (384251643. 04, 10218816.63)
VM38:55 Moon position: (384221973. 31, 11240422.18)
VM38:55 Moon position: (384189607. 02, 12261948.84)
VM38:55 Moon position: (384154544. 38, 13283389.44)
VM38:55 Moon position: (384116785. 60, 14304736.81)
VM38:55 Moon position: (384076330. 92, 15325983.79)
VM38:55 Moon position: (384033180. 60, 16347123.20)
VM38:55 Moon position: (383987334. 90, 17368147.87)
VM38:55 Moon position: (383938794. 12, 18389050.64)
```

アニメーションで欲しいので、アニメーションを描くように指示してみます。

プロンプト

アニメーションでわかるようにしてください。

GPT-4の回答

アニメーションを使用して地球と月の動きを可視化するために、以下のJavaScriptコードをＨＴＭＬファイルに追加できます。この例では、ＨＴＭＬ５の<canvas>要素と、シンプルなアニメーションを実現するrequestAnimationFrame関数を使用しています。

```
<!DOCTYPE html>
<html lang="en">
<head>
 <meta charset="UTF-8">
 <meta name="viewport" content="width=device-width, initial-scale=１・0">
 <title>Earth and Moon Animation</title>
 <style>
  canvas {
   display: block;
   margin: 0 auto;
```

```
    }
  </style>
</head>
<body>
  <canvas id="animation" width="800" height="800"></canvas>
  <script>
    // 以前のコードをここに挿入

    const canvas = document.getElementById（'animation'）；
    const ctx = canvas.getContext（'2d'）；
    const scale = 1000000; // 1ピクセルあたりの距離（m）

    function draw（）{
      // 画面をクリア
      ctx.clearRect（0, 0, canvas.width, canvas.height）；
```

```
    // 地球を描画
    ctx.beginPath（）;
      ctx.arc（earth.position.x / scale + canvas.width / 2, earth.position.y / scale +
canvas.height / 2, 6371 / scale, 0, 2 * Math.PI）;
    ctx.fillStyle = 'blue';
    ctx.fill（）;

    // 月を描画
    ctx.beginPath（）;
      ctx.arc（moon.position.x / scale + canvas.width / 2, moon.position.y / scale +
canvas.height / 2, 1737 / scale, 0, 2 * Math.PI）;
    ctx.fillStyle = 'gray';
    ctx.fill（）;
```

```
    // 次のフレームを要求
    requestAnimationFrame (draw) ;
  }

  setInterval (() => {
    const earthMoonForce = calculateGravitationalForce (earth, moon) ;
    updatePositionAndVelocity (earth, earthMoonForce, deltaTime) ;
    updatePositionAndVelocity (moon, { x: -earthMoonForce.x, y: -earthMoonForce.y },
deltaTime) ;
  }, deltaTime) ;

  draw () ;
 </script>
</body>
</html>
```

アニメーションで表示される月の例

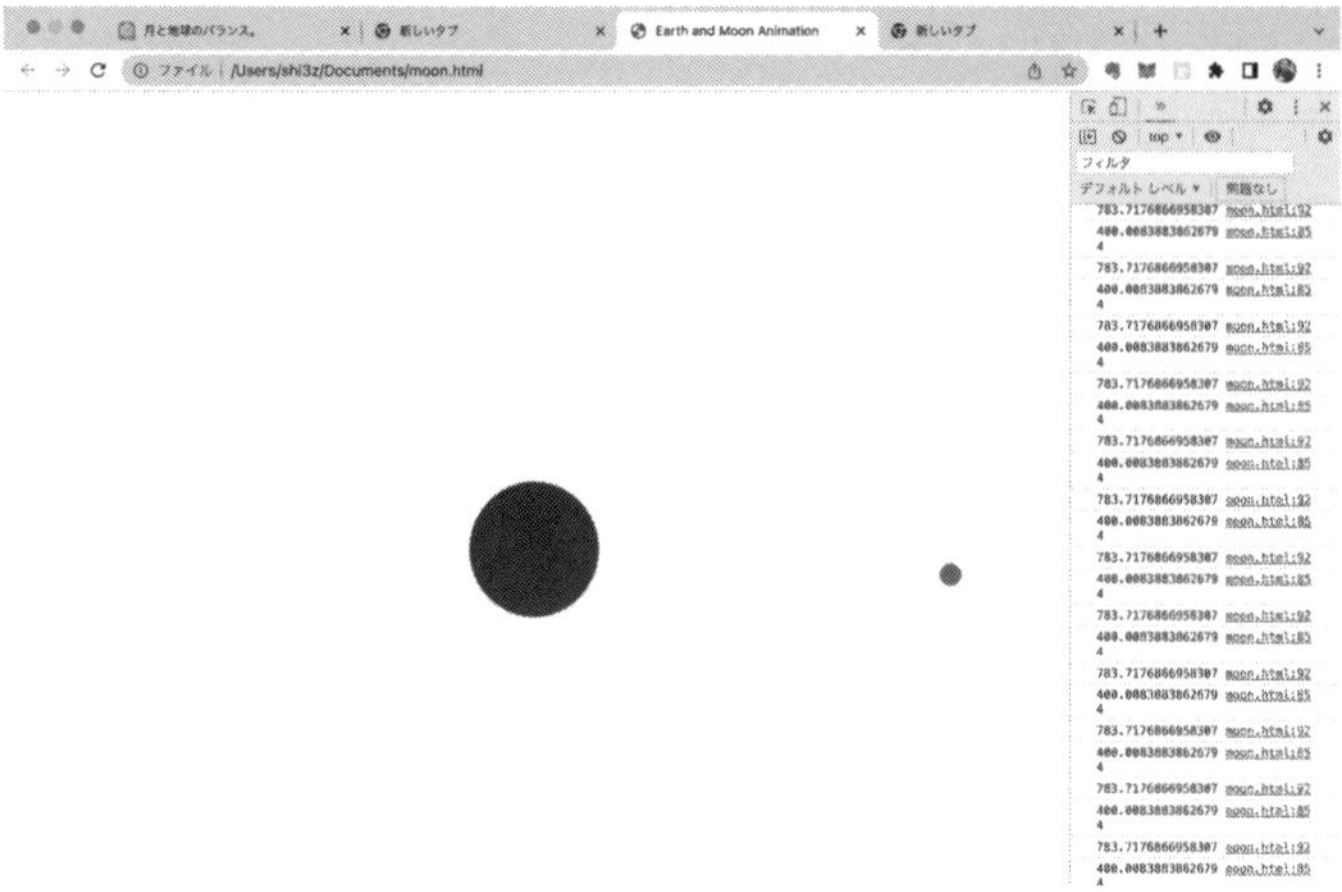

このＨＴＭＬファイルを開くと、<canvas（キャンバス）>要素内に地球と月が描画され、重力によって動く様子がアニメーションで表示されます。地球と月の大きさ・距離・速度は縮尺されており、実際のものとは異なりますが、月が地球に落ちずに公転している様子がわかりやすく描かれています。

ところでこのプログラムにはバグがあり、そのままではちゃんと動きません。エラーは出ないのですが画面内にちゃんと月と地球が表示されないのです。

実際にはほんの少し手直しするだけで動作するようになります。

実は教育効果を考えると、これがとてもいいのです。

プログラミングを覚えた子どもたちは「ＡＩって言ってもバカだなあ」と笑いながら、このプログラムを修正します。また、プログラムというのはバグを見つけ、修正することによって上達していくのです。

実際に微調整した（と言っても定数の数値を少し変えただけですが）プログラムによる実行結果では、確かにちゃんと月が地球の周りを落ちながら回っています。

「全国小中学生プログラミング大会」でも、第１回から毎年のようにＡＩを使った作品が投稿されています。もう時代はそこまで来ているのです。彼らがどんな未来を作ってくれるのか、いまから楽しみですね。

55 高齢化社会と生成ＡＩ

世界の人口が高齢化するにつれて、高齢化社会に関連する課題と機会に対処する必要が出てきます。とくに日本は高齢化社会の先進国ですから、世界に先駆けて高齢化社会とＡ

Iがどのように関係するかを示していく立場にあります。

医療技術が進歩したことで、65歳以上で親子、夫婦、兄弟などのどちらかが介護者であり、もう一方が介護される側であるという状態、いわゆる老老介護をしている人が増えています。


私の周囲にも、介護をしている人が数多くいます。高齢の方とのコミュニケーションで意外と困るのが会話です。高齢の方は発音がうまくできなかったり、同じ話を何度も繰り返したりして周りの人の負担がたいへんになることもしばしばです。

IT業界で流行した「年老いた親へのプレゼント」で国を跨いでこれは絶対に外さない、と言われているのが「Amazon Echo（アマゾンエコー）」です。

いわゆる「Alexa（アレクサ）」が搭載されたスマートスピーカーですが、「会話する」ことは高齢者にとってもっとも身近なインターフェースであるため、毎日会話することで愛着が生まれてきて喜ばれるのだそうです。

「会話」と言えば最近流行のChatGPTも同じ性質を持っています。

Amazon.comも最近の生成ＡＩのブームに触発されてAlexaを大幅に強化する可能性がありますｏ これまであまり拾えなかった雑談も拾えるようになると、さらに高齢の方に人気が出るでしょう。

高齢者の話を聞くＡＩは、ビジネスチャンスがあると思います。

普段の困りごとの対応から、ちょっとした会話をヒントに認知症の予兆を検知したり、なにかあったときにすぐに助けに駆けつけることができるようになったり、こうした領域で、生成ＡＩはますます活用されていくはずです。

私がいずれ登場するだろうと考えているのは、ご高齢の方の話を聞くだけでなく、その人の思い出を記録として残してくれるような会話ＡＩです。会話から生い立ち、人生のエピソードなどを汲み取り、本にしたり、ご本人そのものを生成したりできるＡＩです。

富裕層のシニア世代は、「エンディングムービー」の制作に大金を払ったりしています。「エンディングムービー」とは、自分の人生を振り返り、自分の死後も子どもや孫たちが「お爺さんお婆さんはこういう人だった」と思い出すための動画です。

テレビ局の系列の制作会社などが数百万円で制作を請け負っています。

これのＡＩ版を作れるならぜひ作りたい、という人は多いのではないでしょうか。

しかも、いまは生成ＡＩによって音声を本人そっくりにすることもできます。まるで本人が生きているかのように喋り、本人が言いそうなことを話すＡＩは、たとえば子孫がなにかに迷ったとき、困ったことや心配事があったとき、生前と同じように慰めてくれたり、励ましてくれたりするでしょう。こうしたものがあると、故人のことをいつまでも忘れずにいることができるはずです。

また、容姿に関しても、生前の写真を学習させれば、いくらでも新しい写真を生成することができます。

「第1回ＡＩアートグランプリ」で見事優勝したＡＩクリエイターの松尾公也《まつおこうや》氏は、バンド活動を通じて結婚した奥さまを10年ほど前にガンで亡くしましたが、奥さまの遺言をもとに、彼女の死後も奥さまの声と姿を使って10年間で１００本以上もミュージックビデオを作り続けています。

愛する人をいつまでも忘れない、忘れたくない、という情熱が彼をいまも突き動かしているのです。

奥さまの遺言は、「私の死後も、あなたと歌っていたい。そんなふうに生前の私のデータを使って欲しい。そしてあなたもいつか私と同じところへ行くんだから、あなたのデー夕も残しておいて、最後はフリーにしましょう。ただし、使用条件は、必ず私たち2人一緒で使うこと。そうすれば、私たちはいつまでも一緒に歌を歌っていられるから」といったものだったそうです。

私の夢の一つは、自分の考えをＡＩに教え込み、私の仕事も自分で学習し、仮説を立て、自身の考えを修正し、最新の状況に対応できるＡＩを作ることです。

こうしたＡＩを宇宙探査機に載せて、広い宇宙を旅させてみたいと思っています。

人間には残念ながら寿命がありますが、プログラムやデータには寿命がありません。自分自身を改良し続けるＡＩが、遠い惑星で3Ｄプリンタみたいなもので自分を複製しながら、新しい文明を築いていくところを想像するのは愉快です。

もちろんそんなものは一朝一夕に作れるものではありませんから、私はまだまだ長生きする必要があります。

おわりに　「永続する未来へ」

生成ＡＩが生み出した情報が、これまで人間がゼロから生み出した情報の総量を超えるまでそう時間はかからないでしょう。数年もすれば、世のなかにある情報の大半は生成ＡＩによる生成物になっているはずです。


第2章で紹介したアルファ碁というＡＩを思い出してみてください。

これは人間のトップ棋士に初めて勝利したＡＩと言われています。

アルファ碁の学習には、人類が数千年に渡って作ってきた棋譜が使われ、数ヶ月の訓練期間を要しました。学習に使われたのは１７６基のＧＰＵでした。

ところが、その後開発されたアルファゼロは、わずか64基のＧＰＵで学習され、しかも人間の棋譜を一切使わず、囲碁のルールのみを用いて自分自身と対戦し続けるという自己対戦をしただけで、わずか数日で４９０万回の対局を行い、数ヶ月かけて学習されたアルファ碁を打ち負かしました。

研究者たちは、比較のため、アルファゼロに人間の棋譜を学習させるという実験を行いましたが、学習は速くなるものの、長期的には完全に自己対局だけ、つまり人間にまったく頼らずに学習したアルファゼロの方が強くなることがわかりました。

いまの生成ＡＩは、基本的にはどれも人間の作ったデータを読んでいます。画像生成のＡＩは写真と人間の描いた絵画やイラストを学習していますし、文章生成ＡＩは人間が生み出した文章をもっぱら学習に使っています。音声生成、動画生成も同様です。

なぜアルファゼロのように自己対戦できないのかというと、ＡＩにはそもそも「審美眼」がないからです。

ゲームの場合、最後に必ず勝ち負けが決まりますから、「こっちの手よりもこっちの手の方がよかった」ということは確定できます。しかし、画像や文章の生成の場合は、「こっちの絵の方がこっちの絵よりも絶対よい」かどうかは「見る人の好みによる」ので決められないのです。
テクニウムの観点から考えると、ＡＩは従来作られたどのような技術よりも生物的と言えます。

ＡＩと同時期に生まれた研究分野に人工生命というものがあります。これは双子の兄弟のようなものですが、アプローチはまったく異なります。

ＡＩは、あくまでも生物が考えたり学習したりするプロセスを模倣し、解き明かすことに重点が置かれています。一方で人工生命は、生物が生きている状態とはなにか？　を解き明かそうとします。

ＡＩの扱う範囲が人間の一生くらいの時間軸、つまり50年から１００年程度の範囲だとすると、人工生命が扱いたい範囲は生命の歴史とその未来、すなわち50億年くらいの範囲ということになります。

人工生命では、学習は扱わず、生物の振る舞いだけを記述することで、「生物っぽさとはなにか」を追求しています。たとえば、鳥の群れを再現する人工生命は、ごく単純な三つのルールに従います。

・分離　仲間に近づきすぎたら、離れる
・整列　仲間と同じ方向、同じ速度で飛ぶ
・結束　群れの中心に向かって飛ぶ

この単純なルールだけで非常に見事な動きをする鳥の群れが表現できます。

ＡＩが驚くほど複雑に見えるのも、これに似ています。

ＡＩの根本的なルールは非常に単純なもの、あるテンソルから別のテンソルへの変換です。

それが生成ＡＩと呼ばれるかどうかは、出力されるテンソルの大きさが一定以上大きいとき、つまり画像や文章や音声といった場合です。

そして、人工生命の研究分野の一つで遺伝的アルゴリズムというものがあります。

遺伝的アルゴリズムとは、生物が遺伝しながら進化していくことにヒントを得て、数値化された人工的な遺伝子をもとに生成した複数のアルゴリズムをランダムに組み合わせて進化させていくという方法です。

実際に遺伝的アルゴリズムでＡＩの設計をすると、人間が設計するよりも高性能なものができます。生物がどのように進化してきたのか、生物はどのようにして外界の知識を学習するのか。原理の解明にはいったん目をつぶり、とりあえず見様見真似でやってみた、そうしたらうまくいった、というところがＡＩと人工生命の共通点です。

実際のところ、人工生命とＡＩはまったく無関係な研究分野でした。

しかし、人工生命の研究で生まれたさまざまな技法、たとえば強化学習や遺伝的アルゴリズムといった手法は積極的にＡＩに取り入れられていきました。これもまたテクニウムが持つ性質と言えるでしょう。

人工生命とＡＩが完全に融合するとき、そこに人間が介在する余地はなくなっていきます。それでいいのか、悪いのかと言われると、もはや善し悪しの問題ではないかなと思います。

いまのところ、ＡＩや人工生命が活動を維持するには人間の手助けが必要です。

しかし、いずれ太陽光やなんらかのエネルギー源を得て、人工生命化したＡＩが自律的に自らを改良し、未知の環境に適応していくようになるでしょう。

クリストファー・ノーランの映画「インターステラー」では、滅亡の危機に瀕した人類救済のため「プランB」として、「別の惑星で受精卵を人工培養する」いう計画が明かされますが、人類が地球で育んだ文明という文脈を喪失した状態にあって、遠い惑星で生まれた人類の子孫を、はたして人類と呼べるでしょうか。

私はコロナ禍でパンデミックが瞬く間に世界中に広がり、人類とはこんなにも脆いものかと戦々恐々としていました。世界を自由に行き来できるようになった結果、ダイバーシティ（多様性）が喪《うしな》われ、局所的に発生したはずのウイルスがあっという間に惑星規模で広がってしまう。こんなときに生物というのはまあなんとも無力です。ウイルスによるパンデミックが原因で人類がほぼ滅亡するというストーリーの映画や小説も多いので、こんなことをすぐに考えてしまいます。

たとえば人類の遺伝的なクローンが人類滅亡後に作り出されたとしても、それは人類としての英知を何一つ持っていません。

これが、象や犬、猫などの動物の場合、それでも「猫は猫」と考えられるかもしれませんが、少なくとも人類というのは、単にホモ・サピエンスという種のみを意味する言葉ではなく、自らが生み出した言葉や文化によって培ってきた知識や英知といったものを継承する存在であって欲しいはずです。

たとえ完全に人類の痕跡が消えたとしても、何千年かあとに別の知的生命体と遭遇するのがＡＩである可能性は低くありません。

スタンリー・キューブリックが生前温めていた企画をスティーブン・スピルバーグが引き継いで完成させた映画「A.I.」では、まさにラストシーンでそのような未来が描かれます。

ＡＩが人類を滅ぼす可能性はいまのところゼロです。

しかし、ＡＩが人類にとって大切な文明のミームを引き継いでくれる可能性は限りなく高いと言えます。

生成ＡＩの出現は、ＡＩが人類のミームを継承し始めた現象の、まさに始まりです。

写真をどう解釈して絵にするか、言葉をどう解釈して次の言葉を紡ぎ出すか。人類はこれまでにないほどに強力な自らの「バックアップ」となる存在を手に入れたのです。

人類がこのあとどれだけ繁栄を続けることができるかはわかりません。

しかし、すべての星には寿命があり、太陽もまた例外ではありません。

そうなったとき、必ず人類の子孫は太陽系を捨て、新天地へと向かわなければなりません。それは何世代にもわたる長い航海になる可能性もあります。また、そうした世代交代型宇宙船のなかであってもパンデミックが発生した場合、人類が全員死ぬなど、どんな災害も想定しなくてはなりません。


そのとき、ＡＩがあればどんな形であれ人類のミームは継承されることになります。

仮に生きている人間がゼロになっても、またどこか別の新天地で生まれた人類の遺伝子を継承する生命体が、ＡＩを通じて人類のミームを取り戻せるでしょう。

ＡＩは人類にとって素晴らしいパートナーになり得る最有力の無機構造体なのです。

清水　亮

参考資料一覧

〈プロローグ〉

『Google誕生―ガレージで生まれたサーチ・モンスター』デビッド ヴァイス（著）、マーク マルシード（著）、田村 理香（翻訳）／イースト・プレス

〈第一章〉

『イノベーターズ1　天才、ハッカー、ギークがおりなすデジタル革命史』ウォルター・アイザックソン（著）、井口 耕二（翻訳）／講談社

『イノベーターズ2　天才、ハッカー、ギークがおりなすデジタル革命史』ウォルター・アイザックソン（著）、井口 耕二（翻訳）／講談社

〈第二章〉

『テクニウム――テクノロジーはどこへ向かうのか？』（Kindle版）ケヴィン・ケリー（著）、服部 桂（翻訳）／みすず書房

『ＮＨＫ　電子立国日本の自叙伝〈上〉』相田 洋（著）／日本放送出版協会

『NHK　電子立国日本の自叙伝〈中〉』相田 洋（著）／日本放送出版協会

『NHK　電子立国日本の自叙伝〈下〉』相田 洋（著）／日本放送出版協会

『NHK　電子立国日本の自叙伝〈完結〉』相田 洋（著）／日本放送出版協会

『新・電子立国〈1〉ソフトウェア帝国の誕生（NHKスペシャル）』相田 洋（著）、大墻 敦（著）／日本放送出版協会

『新・電子立国〈2〉マイコン・マシーンの時代（NHKスペシャル）』相田 洋（著）、荒井 岳夫（著）／日本放送出版協会

『新・電子立国〈3〉世界を変えた実用ソフト（NHKスペシャル）』相田 洋（著）、大墻 敦（著）／日本放送出版協会

『新・電子立国〈4〉ビデオゲーム・巨富の攻防（NHKスペシャル）』相田 洋（著）、大墻 敦（著）／日本放送出版協会

『新・電子立国〈5〉驚異の巨大システム（NHKスペシャル）』相田 洋（著）、荒井 岳夫（著）／日本放送出版協会

『新・電子立国〈6〉コンピュータ地球網（NHKスペシャル）』相田 洋（著）、矢吹 寿秀（著）／日本放送出版協会

『電子立国 日本の自叙伝〈7〉8ミリ角の半導体をめぐる男たちのドラマ』（NHKライブラリー）相田 洋（著）／日本放送出版協会

『新装版 計算機屋かく戦えり【電子版特別収録付き】』（Kindle版）遠藤 諭（著）／角川アスキー総合研究所

『ハッカーズ』スティーブン・レビー（著）、松田 信子（著）、古橋 芳恵（著）／工学社

〈第三章〉

「ChatGPTの運用コストは1日70万ドル…費用削減へ マイクロソフトは専用チップを開発中」
(Business Insider 2023,Arp,28)
https://www.businessinsider.jp/post-269008

「データ・AI法務の専門家・柿沼太一弁護士に聞く！　AI関連著作権法Q＆A」(CG WORLD 2023)
https://cgworld.jp/article/cgw293-t1-aiqa.html

「生成AIの猛烈な進化と著作権制度～技術発展と著作権者の利益のバランスをとるには～」
柿沼太一（弁護士）・(STORIA法律事務所)
https://storialaw.jp/blog/9373

〈第四章〉

・ChatPDF
https://www.chatpdf.com/

・GitHub
speech-to-text-webcam-overlay
https://github.com/1heisuzuki/speech-to-text-webcam-overlay

https://1heisuzuki.github.io/speech-to-text-webcam-overlay/

・Memeplex

https://memeplex.app

『ウーバー戦記：いかにして台頭し席巻し社会から憎まれたか』（Kindle版）

マイク・アイザック（著）、秋山 勝（翻訳）／草思社

清水 亮

Ryo Shimizu

新潟県長岡市生まれ。AIスペシャリスト。

プログラマーおよび上級エンジニア経験を経て、1998年に株式会社ドワンゴに参画。

2003年に独立し、以来20年で12社の設立に関わるシリアルアントレプレナー。

2005年、IPA（情報処理推進機構）より「天才プログラマー／スーパークリエータ」として認定。

2017年、2018年 内閣府知的財産戦略本部「新たな情報財検討委員会」委員。

2018年から2023年 東京大学客員研究員。

2019年、2020年 一般社団法人未踏とNEDOによる「AIフロンティアプログラム」メンター。

著書に『よくわかる人工知能』（KADOKAWA）、『はじめての深層学習（ディープランニング）プログラミング』（技術評論社）、『最速の仕事術はプログラマーが知っている』（クロスメディア・パブリッシング）、『プログラミングバカ一代』（共著、晶文社）がある。

検索《けんさく》から生成《せいせい》へ

生成《せいせい》AIによるパラダイムシフトの行方《ゆくえ》

2023年9月1日　初版第1刷発行

著　者　清水　亮

発行人　山口康夫

発　行　株式会社エムディエヌコーポレーション
〒101-0051 東京都千代田区神田神保町一丁目105番地
https://books.MdN.co.jp/

発　売　株式会社インプレス
〒101-0051 東京都千代田区神田神保町一丁目105番地

印刷・製本　中央精版印刷株式会社

［カスタマーセンター］

造本には万全を期しておりますが、万一、落丁・乱丁などがございましたら、送料小社負担にてお取り替えいたします。お手数ですが、カスタマーセンターまでご返送ください。

- 落丁・乱丁本などのご返送先　〒101-0051 東京都千代田区神田神保町一丁目105番地
株式会社エムディエヌコーポレーション カスタマーセンター
TEL：03-4334-2915
- 書店・販売店のご注文受付　株式会社インプレス 受注センター
TEL：048-449-8040 ／ FAX：048-449-8041

- 内容に関するお問い合わせ先
株式会社エムディエヌコーポレーション カスタマーセンター メール窓口
info@MdN.co.jp

本書の内容に関するご質問は、Eメールのみの受付となります。メールの件名は「検索から生成へ 生成AIによるパラダイムシフトの行方　質問係」とお書きください。電話やFAX、郵便でのご質問にはお答えできません。ご質問の内容によりましては、しばらくお時間をいただく場合がございます。また、本書の範囲を超えるご質問に関しましてはお答えいたしかねますので、あらかじめご了承ください。

ISBN 978-4-295-20537-1　C0030